天下文化
BELIEVE IN READING

唐詩樂遊園

（上）

張曼娟、黃羿瓅——著
王書曼——繪圖

序

歡迎光臨，唐詩樂遊園

張曼娟

大唐盛世。

這四個字代表的就是氣勢恢弘，昂揚自信。

在那樣的時代，女生不用減肥瘦身，因為豐腴健康就是美感，她們可以躍上駿馬，四處馳騁，也可以和男生ＰＫ激烈的馬球競賽。在那樣的時代，男生不用逞兇鬥狠，因為俠義就是他們的靈魂，他們可以穿越沙漠，在穹蒼之下，用月光杯飲香醇的葡萄美酒。

在那樣的時代，出現了最有氣魄的女人——則天皇帝；也出現了最為浪漫的君主——玄宗皇帝。那樣的時代，月特別亮，酒特別烈，劍特別快，花特別香。

那樣的時代，生出了許多玲瓏心竅、宛若貶謫人間的神祇，隸屬詩的樂遊園。他們作詩、唱詩，還創造了新的詩體——絕句與律詩。這些所謂的近體詩，精簡細緻，情意充沛，每一首都是藝術品，閃閃發光。深刻的情感，圓融高妙的技巧，充分完整的表達。

雖然唐詩的創作有嚴謹的格律和音韻要遵守，但我們吟詠著這些美好的句子，感覺卻那樣自然親切而順口，全然不覺得束縛。這是成熟韻文的表現——在限定的框架中，跳著最輕靈曼妙的舞蹈。舞者嫻熟酣暢，觀者驚歎感動，框架竟像是根本不存在的。

到底是什麼樣的奧祕，超越了時代，煥發著恆久存在的生命力？

二〇〇六年，我憑著一腔熱情創辦了【張曼娟小學堂】，同年也出版了有聲書系列，第一堂就是「客船開到哪裡去」，談的是張繼的〈楓橋夜泊〉這首詩，不僅欣賞他的描寫技巧，也穿越到他失眠的那個夜晚，揣摩他的心境。連串的挫敗與失意，襲擊而來，與那些功成名就、志得意滿的人相比，他只是一個失敗者，但在客船上的那一夜，卻因為這首詩，他突圍了，在唐詩樂遊園裡，取得了一個醒目的席位。

就從張繼的這首詩開始，【張曼娟小學堂】與有聲書的出版，得到超乎想像的迴響和支持，不分年齡的許多朋友都沉浸在重讀經典的快樂中。「什麼時候才能出版紙本書呢？這些好東西應該要細細的閱讀，讀過一遍又一遍呀。」就像是我們走進樂遊園，便希望不要天黑，可以一直的開懷歡笑。

從有聲書變為紙本，對我來說，卻又是一項艱鉅的工程。經過了七年的籌劃與醞釀，我心中的那座樂遊園有了一個輪廓，而作家黃羿瓅老師也答應了我的邀請，一起投入這部作品的寫作。

在《唐詩樂遊園》中，我們試圖發掘讓唐詩吟誦起來口齒生香、愛不釋手的奧祕。

從初唐的「神童資優班」開始，唐詩的卷軸開展，盛唐的李白、杜甫、王維、孟浩然、高適、岑參，再到中唐的白居易、劉禹錫、元稹、柳宗元、韓愈，最終是晚唐的杜牧、李商隱，總共六十五位詩人。他們的生平際遇與生命轉折，表現在不同時期的詩作中。了解他們的生命故事，發覺這些詩句的情境都是可以觸摸、嗅聞、品嘗的，有時甜蜜得令人微笑，有時苦楚得引人落淚。

唐詩有主題與風格的差異，於是便有社會寫實與浪漫派，田園詩與邊塞詩，還有詠史、詠物、詠季節等等，總共收錄解析了二〇五首詩。

我們認為唐詩的閱讀應該充滿魅力，也充滿創作的靈感與啟發。在教科書以外，在坊間的各種補充教材以外，期望《唐詩樂遊園》的每一個章節都能觸動讀者的心，感受到源源不絕的樂趣。

天下文化提出了讓經典更新穎的想法，與我的理念不謀而合。從插畫到美術設計，都呈現出現代感。唐詩穿越千年歲月，來到二十一世紀，應該是一個少年，有著無限可能和一雙燦亮亮的眼睛。

這翩翩少年正站在樂遊園的入口處，向你遞上一張輝煌的入場券，你可以跟著李白進入楊貴妃的牡丹園；隨著崔顥目送高樓上的黃鶴遠去；在白居易的船上聆聽琵琶女的演奏；與杜牧一同細數江南煙雨中的樓台……

歡迎光臨。祝你樂而忘憂。

二〇一三年，秋日白露

目錄

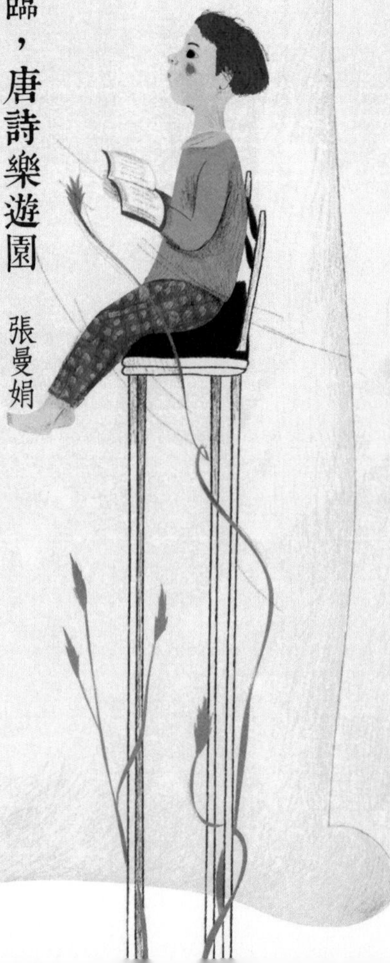

主題一

客船開到哪裡去？

靜夜思

湘靈鼓瑟

登科後

楓橋夜泊

那束永恆的月光

靜夜思　唐・李白

床前明月光，疑是地上霜。
舉頭望明月，低頭思故鄉。

失眠的夜晚，明亮皎潔的月光，投射在我的床前。那樣的透亮著，就像是在地上結了一層薄薄的、寒涼的冰霜。抬起頭

當我們仍是幼童，認識的第一首詩，大多是李白的〈靜夜思〉。小小的五言絕句，短短的二十個字，每個字都淺顯易懂，花不了多少時間，好像唱歌似的，就背誦起來了，而且，一輩子都忘不掉。其實，這首詩有三個字是重複的，也就是說，詩人只用了十七個字，就完成了我們生命裡的第一首詩。

短短十七個字，怎麼能寫出「人、事、時、地、物」？還兼具感官與深情？最重要的原因，是因為他選擇了文言文。

文言文是一種最簡約而準確的文體，可以將許多文字壓縮，使每一個字都包含著許多意思，每一個字都具有分量，就像是一顆子彈那樣，充滿速度和力道。這也就是為什麼，從小接觸詩詞的我們，

仰望著天上的明月，這也
是故鄉的明月啊，於是，
對於故鄉的深深思念，使
我沉重的垂下了頭。

總可以在誦讀時獲得一種單純的快樂，從聲韻、節奏、對偶、意象中，輕輕敲擊著、觸摸著這個世界。

寫作的時候，老師一再強調「人、事、時、地、物」的重要，但常常令寫作的我們覺得手忙腳亂，顧此失彼。李白的這首短詩如何能夠容納這一切？

先來看看詩中的「事」吧。遠離故鄉，漂泊在外的李白，並不是因為聽見了鄉音，或是吃到了故鄉的美味，才想念故鄉，而是因為一束明亮的月光。這是走到哪裡都能看見的，也暗示我們，對於故鄉的思念，是時時刻刻存放在心上的。

李白這個「人」，也就代表了每個無法回家的人，對故鄉的思念，是你、是我、也是他。

至於「時間」，當然是夜晚；也有人覺得這時節應該是秋天。或許就是因為周遭的寒涼空氣，使得詩人眼中見到了月光，卻聯想起白霜，這當然是很厲害的「感官」摹寫了。

相對於故鄉，李白所在的地方無疑是個異鄉。身在異鄉，懷想故鄉，兩「地」對他來說，都有著重要意義。

至於「物」，當然是那時時伴隨著的月亮了。李白詩中最鍾愛的意象是月亮，描寫月亮的詩相當多，在〈靜夜思〉中，四句詩有三句都在寫月亮，最後一句的思鄉，也是被月兒勾起的情緒。

一千三百多年前的一個尋常夜晚，在人生道途中漂泊的李白，遇見一束月光，他揮筆留下這一刻。於是，千年以來，開啟了許多人的詩的宇宙，那一束永恆的月光。

一首詩，搏功名

在華人世界，就算是背不出一首詩的人，也知道《唐詩三百首》，這真是一本超級有名的詩集。

這本書的編選並不是唐代人，而是由清代的一對夫妻檔「蘅塘退士」孫洙和妻子徐蘭英攜手完成的，說不定徐蘭英花費的時間與心血更多些。可惜現在的人多半知道編書者是蘅塘退士，卻沒留意還有一位飽讀詩書的才女，也貢獻了許多心力。在「女子無才便是德」的年代，能有徐蘭英這樣的女性，真是很難得的。

這本詩選集原本是給家塾孩子的讀物，也可以驗證一下「熟讀唐詩三百首，不會吟詩也會吟。」的說法是否屬實。

他們參考了各家選本，總共選出七十七位詩人，共三一一首詩，

大曆十才子

指的是唐代宗大曆年間，互相唱和的十位詩人。他們是錢起、韓翃、耿湋、盧綸、司空曙、苗發、吉中孚、李端、崔峒、夏侯審。他們重視的是詩的形式之美，在內容上為人所稱道的並不多見。錢起的年紀比較大，還曾經與王維、裴迪等人唱和過。盧綸寫過邊塞詩，「月黑雁飛高，單于夜遁逃。」

每一首詩都是經典，令人愛不釋手。這個選本顧慮到兒童與少年的學習，因此以流暢、典雅、親切、情真的詩作為主，不僅受到家塾孩子的喜愛，也成了所有讀者共享的寶典。後來的人翻印這本詩集，不免有些增補，到最後竟不斷飆高，達到四百首呢。

但唐詩當然不只三、四百首而已，目前仍保存下來的唐詩，約莫有五萬首。

歷史上的名人，寫作《紅樓夢》的曹雪芹，有個深受康熙皇帝寵信的祖父曹寅。曹寅受康熙欽命，編選了《全唐詩》，共收錄兩千兩百多位詩人，蒐羅了四萬八千九百多首詩。這個數字，前朝與後代都無法企及，因此，「詩」就成為了唐朝的代表，也成就了唐朝的輝煌。

在很多不同的時代，寫詩最大的功能是抒發情感，寄託幽懷。就像到了現代，不少兒童和青少年，也都能寫上兩句頗有詩意的句子。把自己難以對人傾訴的心事，或是浪漫情懷，藉由詩句表達出來。

然而，在唐代，寫詩寫得好，竟然可以在科舉中金榜題名，還

是他的名句。韓翃作過〈寒食〉詩，「春城無處不飛花」，聞名天下。與他同時還有一位詩人也叫韓翃，皇帝要提拔他時怕弄錯了，還特別指名，要找的是寫「春城無處不飛花」的那個韓翃。

能在朝廷得到官位與俸祿，可以說是功名利祿的敲門磚。既能抒發情懷，又可踏上知識分子夢寐以求的官宦之途，詩人何樂而不為？怪不得唐詩如此蓬勃迅速的發展起來了。

現代學生在考試時免不了寫作測驗，題目上必然註明著：「不可寫詩」。不管詩寫得多好，在考試時一點也派不上用場，唐代人卻在考科舉時寫過不少好詩。

中唐有位詩人錢起，是有名的才子，與其他九位詩人合稱為「大曆十才子」。錢起在應試時作了一首詩，得到主考官的激賞，金榜題名，那首詩也成為應試詩的代表作。

唐玄宗天寶十年，錢起應考，省試的詩題是〈湘靈鼓瑟〉，這是出自屈原《楚辭・遠遊》篇中的兩句：「使湘靈鼓瑟兮，令海若舞馮夷。」是個美麗而憂傷的、古代的神話故事。

很久很久以前，據說堯帝把兩個女兒嫁給了舜。舜帝是個受百姓愛戴的帝王，為了了解百姓的生活狀況，常四處巡行，不幸南巡時在蒼梧死去了。兩位妃子日夜思念，悲痛不已，不久也於湘水之濱去世。

湘靈鼓瑟

唐・錢起

善鼓雲和瑟，嘗聞帝子靈。
馮夷空自舞，楚客不忍聽。
苦調淒金石，清音入杳冥。
蒼梧來怨慕，白芷動芳馨。
流水傳湘浦，悲風過洞庭。
曲終人不見，江上數峰青。

湘水女神多麼擅長彈琴鼓瑟啊！可以聽見堯帝之女想要表達的深情。連水神馮夷也隨之舞動，雖然並不能領略其中的意境，而途經楚地的過客更被觸動心事，不忍聽聞。那悲苦的聲調，連堅硬的金石都為之酸楚；那清揚響亮的琴音，穿透了無窮的青天與無盡的冥界。在

她們的魂魄化為湘水之神，常在月夜裡鼓瑟彈琴，音樂悽惻哀傷，令經過南方楚地的客旅，悲不自勝。連海若、馮夷這些神祇聽見樂聲也忍不住隨之起舞。

這題目很難寫，是因為音樂的描寫一向不容易。讀過這個神話故事的人都知道，湘水女神鼓瑟，必然是悲傷的樂曲，但是如何用文字將那樣的感覺描寫出來呢？這考驗著詩人的本領，必須具備極豐沛的想像力。錢起用各種不同的方式將抽象的音樂具體寫出來：它是悽楚的，就算是堅如金石也會被打動；它是有力量的，能夠穿透天地；它是有氣味的，我們嗅聞到新鮮的馨香；它是無遠弗屆的，連遼闊

蒼梧死去的舜帝的魂魄也被驚動，勾起了愛慕與思念之情；而江邊的香草白芷，在這樣的樂音中也鼓動著沁人的芳香。這樂音隨著流水，飄散在湘水兩岸，形成悲愴的風，吹過八百里洞庭湖。這樣動人的音樂，使聆聽者渴望見到演奏的人，然而，樂音終止，除了江上幾座青碧的山峰，一個人也看不見呀。

的洞庭湖也能跨越。

這就是修辭學裡的「誇飾法」，一定要比現實誇張許多，令人驚奇。同時，讀詩的人被說服，相信這音樂的演奏確實有著巨大神奇的力量。

最著名也最令人難忘的是結尾兩句：縹緲虛幻的景象，一江流水，幾座山峰，景色優美如夢，剛剛的一場音樂饗宴，也恍然若夢。湘水女神是虛幻的，鼓瑟之音卻描寫得如此真實，真是好有本領！怪不得當時的主考官給了他很高的名次，並且說，結尾兩句詩「如有神助」呢。

從落第到及第之間

許多詩人或許都羨慕錢起的幸運，能以一首命題詩金榜題名，大部分的詩人，得忍受更多失敗的挫折和打擊。所幸，為了伸展自己的抱負，詩人是不會輕易放棄的。他們在「落第」的失敗中，再接再厲，等待著「及第」的成功。

「十年寒窗無人問，一舉成名天下知。」金榜題名的那一天，才能揚眉吐氣；才能衣食無缺；才能光耀門楣。

成功幾乎都是從失敗中來的，就連錢起也曾在落第時寫下了「不醉百花酒，傷心千里歸。」的淒涼詩句。

以〈遊子吟〉這首詩流傳後世的中唐詩人孟郊，被稱為「苦吟詩人」。他對作詩很有狂熱，只是靈感有些欠缺，為了吟一首詩，

往往陷入艱苦的奮鬥。而他的科舉之路，同樣充滿坎坷。他出身貧寒，刻苦用功，在尋求功名的道路上，卻只能嘗試著一次又一次的失敗。

他在〈下第〉詩中這樣寫著：「棄置復棄置，情如刀劍傷。」雖然這樣努力，自己的才華卻像是無用的廢物那樣被丟棄。丟棄了一次又一次，心中的情感，彷彿被銳利的刀劍所傷，疼痛不堪。「去」聲字讀來會有低落沉鬱之感，很少見到一句詩中五個字都用「去」聲。作詩總要花費許多時間、心血的孟郊，連續使用五個去聲字，絕不會是偶然，而是將他心中的沮喪化

為音韻，強烈的表現出來。這樣講究的詩人，怪不得寫詩這麼辛苦了。

不幸的是，孟郊再一次應考落榜，於是，他寫下了〈再下第〉詩：「兩度長安陌，空將淚見花。」他已經來長安赴考兩次了，放榜之時，得到的只有失敗與挫折，望著開滿鮮花的長安城，知道自己再沒有容身之地，忍不住傷痛的流下眼淚。

唐代的科舉在秋天舉行，放榜則要等到第二年的春天。前來應考的讀書人多半都會留在長安，等待「幾家歡樂幾家愁」的結果揭曉。這真是一段好難捱的日子，卻值得一試再試。

孟郊四十六歲那年，再度來到長安城，進了考場。命運之神這一次給了他一個微笑，及第了。人生中這麼重要的時刻，怎麼可以不寫詩？〈登科後〉記錄了孟郊的得意狂喜，也預兆了他的成功只是一個瞬間的幻影。

我們用「春風得意」來形容一個人做人做事都很順利，這成語就是來自這首詩。「走馬看花」則是形容時間短促，無法確實了解。走馬就是跑馬，騎馬奔馳，怎麼可能將花兒的模樣看得真切呢？這

登科後

唐・孟郊

昔日齷齪不足誇，
今朝放蕩思無涯。
春風得意馬蹄疾，
一日看盡長安花。

過往在科舉考試中受到的挫敗，那些灰頭土臉的日子不必再提了。今日

終於金榜題名，讓人感到毫無拘束的暢快。放任馬兒狂飆，在溫暖的春風中馳騁著，短短一天，就要把長安城裡所有的花兒看盡。

成語也是出自這首詩。

四十六歲的孟郊考上科舉，卻一直等到五十歲才得到一個小小的官職。既無法「放蕩」，也沒有「無涯」。

寒山寺，夜半鐘

唐代詩人在落第後寫的詩數量不少，其中有一位，他詩名不高，詩作也不多，卻因為一首詩，而能揚名後世，那就是〈楓橋夜泊〉的作者張繼。

張繼流傳後世的詩有四十幾首，我們熟知的只有〈楓橋夜泊〉這首七言絕句。那一年，張繼去到長安趕考，滿懷希望的從秋天等到春天，這希望竟然落空了。於是，他取道蘇州回故鄉。那是個前途茫茫的夜晚，住在小船上的詩人輾轉難眠，聽著寺院的鐘聲，寫下一首詩。

這首詩成就了一個詩人，那就是張繼；這首詩打造了一座名寺，那就是「寒山寺」。

楓橋夜泊　　唐・張繼

月落烏啼霜滿天，
江楓漁火對愁眠。
姑蘇城外寒山寺，
夜半鐘聲到客船。

月兒消失，烏鴉啼叫，彌天蓋地的秋霜，江邊的楓樹與漁船上的點點火光，映照著我這雙憂愁難眠的眼睛。姑蘇城外那座寒山寺的僧人也沒睡去，他們敲擊的鐘聲，迴盪著，來到我這遊子的船中。

寒山寺原本只是蘇州城外的一座小寺廟，據說是梁武帝時興建的，叫做「妙利普明塔院」，並不起眼。唐太宗時兩位年輕僧人寒山、拾得來此修道，拾得後來去了日本宣揚佛法，寒山成為此寺的住持，又因為他能作詩，名氣很大，大家就將這座寺院稱為「寒山寺」。

讀過張繼這首詩的人，都對於半夜在船上聆聽鐘聲有了無限美好的嚮往，也對寒山寺充滿情感。因此，千年以來，雖然遭遇過好幾次的毀壞，卻總能修建起來，屹立不搖。

〈楓橋夜泊〉的前兩句共有十四個字，包含了六種意象：「月落」、「烏啼」、「霜滿天」、「江楓」、「漁火」、「對愁眠」。「月落」是時間，「烏啼」是聽覺，「霜滿天」是寒冷的體感，「江楓」表明了季節是秋天，「漁火」標示出地點是蘇州，「對愁眠」指的是滿懷愁緒的詩人。在這樣的景色中，有個失眠的人呀。

密集的鋪陳了六種意象之後，三、四兩句，詩人只寫一座寺廟與一種聲音，這就是寫作時，「疏密相間」的技巧。

太繁複的意象，會讓讀者感覺疲累，就算是再美麗的描寫，也無法停留在記憶中。就像聽見一段綿密的、抒情的樂章，聽眾的情緒被看不見的絲線提起來搖盪著，有些難以負荷，這時候，需要的是一個短短的休止符。因此，繁複的意象之後，應該有樸素的白描。

每次重讀〈楓橋夜泊〉，總會想起那個失眠之夜。對當時的詩人來說，那是多麼困頓的一個時期，對未來沒有把握，對金榜題名的人豔羨不已。他只會寫詩，也只能寫詩，卻並不知道，他的這首詩遠遠超越了那一年的狀元與那一年的宰相。

沒有人知道那年的狀元或宰相是誰，但讀過〈楓橋夜泊〉的人都記住了張繼。這首詩帶著他突圍了，從小小的客船上，到文學史的長河中，永垂不朽。

座右銘：十年寒窗無人問，一舉成名天下知。

成功，都得經過漫長時間的考驗。

創作模式啟動

模式一、〈楓橋夜泊〉抒情法

〈楓橋夜泊〉有很好用的句子：「月落烏啼霜滿天，江楓漁火對愁眠。」這兩句的六個意象，可以用來描寫季節，描寫寂寞，或是描寫一個人失意的時候，主觀的情感。

借用古人的佳句，可讓抒情文不那麼貧弱，但要記得適可而止，否則就成了掉書袋了。

模式二、〈楓橋夜泊〉記敘法

記敘文最常出現的狀況就是流水帳，一件一件事按部就班的寫下去，不知剪裁，整篇文章平淡無奇，沒有吸引力。

若是把〈楓橋夜泊〉看作是一篇遊記，「人、事、時、地、物」俱全，可以算是微型遊記吧。不必話說從頭，而從眼前最精采的景色寫起，就可以避免記敘文的單調了。

模式三、〈楓橋夜泊〉論說法

〈楓橋夜泊〉雖然是感性的詩，但明白了詩人的創作背景，就知道這是他在失敗的情況下完成的。

因此，只要是與人生的價值觀相關的題材，都能把這個典故靈活運用在論說文中，像是「獲得與失去」、「成功與失敗」等等。如此一來，論說文充滿了對於人情世故的理解和情感，既不會過於乏味，也增添了說服力。

主題二

神童詩人資優班

初唐詩，開啟輝煌三百年

當我們吟誦著唐詩時，是否了解：在中國文學史上，詩歌的起源甚早？從《詩經》、《楚辭》到漢朝的樂府詩及古詩，還有魏晉南北朝的許多詩篇，都存在著詩歌的藝術成就，對後代影響非常深遠。

到了唐代，出現大批優秀的詩人及作品，真可謂詩的全盛期。唐詩，更成為獨特的時代標記，是中國文字最精粹成熟的表現。它超過史上任何一個朝代的詩歌，為文學史帶來了燦爛輝煌的一頁。

明朝高棅是一位選詩家，在他編選的詩歌集《唐詩品彙》裡，將歷時約三百年的唐代，分為初、盛、中、晚四個階段。各階段的發展不同，一般來說，這四個時期的詩作皆與政治、經濟、社會風

唐代不同時期的代表詩人

初唐　王績、初唐四傑、杜審言、沈佺期、宋之問、陳子昂、賀知章

盛唐　李白、杜甫、王維、孟浩然、高適、岑參、王昌齡、崔顥、王之渙

中唐　元稹、白居易、劉禹錫、韓愈、柳宗元、孟郊、賈島、李賀

晚唐　李商隱、杜牧、韋莊、皮日休、陸龜蒙

氣有關，變化過程也相當明顯。

唐以前的詩，還沒有確定的格律，直到初唐沈佺期、宋之問和杜審言等人，才正式將詩的格律定型。這種「近體詩」有別於唐代之前的古詩，開始蓬勃發展，蔚為風尚，於是創造出獨特又壯麗的詩的王朝。

從高祖李淵建立唐朝起，到玄宗開元初年，約一百年的這段時間稱為「初唐」。前五十年，大體來說，生活與文化仍瀰漫著前朝的風氣。當時許多文學家、政治家或是文學侍從之臣，都是由南北朝時代的陳或隋朝入唐，創作題材多為歌頌、宴飲、遊賞、詠物等。南朝的梁、陳華麗浮靡的氣息，此時依然籠罩著文壇。

但，不在乎富貴功名的王績是個特例。他的作品呈現出樸實自然的風格，與眾不同，雖不能發揮太大的影響，卻令人耳目一新。直到出現了「以文章齊名天下」的「初唐四傑」：王勃、楊炯、盧照鄰、駱賓王，倡導革新，再加上沈佺期、宋之問、陳子昂等人挺身而出，不斷努力，初唐詩風才漸漸擺脫了前朝浮靡的陰影。

這些詩人用不同的思維與情感，蘸著新鮮的墨汁寫作。他們擴

大了詩歌的題材、視野和意象，關注的重點從宮廷轉移到鄉村和市井，從樓閣轉向了山野與邊塞，在新的風氣及格律中戮力創作，大量注入奮發、進取的元素，使得之後的詩歌都反映出清新剛健、積極昂揚的初唐精神，為流傳千古的「唐詩」打下根基，開啟了燦爛的扉頁。

酒五斗，長歌懷采薇

初唐前期，詩人王績獨排頹靡華豔，堅持自有風格，在當時是相當不容易的事。王績，字無功，雖是隋煬帝時經學大儒王通的弟弟，也在隋朝被推舉為官，但生性淡泊名利，只愛詩、酒與琴，於是在時局動盪之際，託病辭官。

隋亡後，唐高祖徵集隋朝舊臣，王績再次被請去當官，朝廷還每天提供一斗酒給他，當時人稱「斗酒學士」。但不到幾年，他又因病回鄉，從此與兄長王通歸隱於北山東皋，遂號東皋子。他的退隱，主要是覺得自己的才華無法獲得重用，有些心灰意冷，「四十五十，而無聞焉。」活到了四、五十歲依然沒沒無聞，不如掛冠求去。於是「以酒德游於鄉里」，更寫了〈五斗先生傳〉：「常

野望

唐・王績

東皋薄暮望，徙倚欲何依。
樹樹皆秋色，山山唯落暉。
牧人驅犢返，獵馬帶禽歸。
相顧無相識，長歌懷采薇。

我在秋天的傍晚遙望山野，心裡感到徬徨無依，空蕩蕩的。向四周望去，層層樹林染上深淺不一的金黃色，起伏的山巒也映著夕陽的橘紅色餘

一飲五斗，因以為號焉。」

顯而易見，王績有意追隨晉朝獨來獨往的「五柳先生」陶淵明。他不僅愛喝酒，詩作也多描寫田園山水，與陶淵明一樣，都十分質樸自然、意境清高。走自己的路的王績，雖不免寂寞，但對後來唐詩健康的發展，卻有著相當的影響。

從他的作品〈野望〉中，我們可以看見詩人的背影與他的寂寞。〈野望〉首先寫的是山野秋景，也帶出了他在現實裡徬徨無依的心情。而從「樹樹皆秋色，山山唯落暉。」中，我們看到光、看到影，還有層次、色彩，十個字就把秋野夕景放到讀者眼前來，難怪成為描寫秋天的名句。

遠景寫完接著便是近景，歸家的牧獵人物與動物躍然紙上，這個由靜態轉動態的技巧，使得全詩有更鮮活的畫面感，如同一幅祥和寧謐的山家秋晚圖。在這樣的環境中，卻沒有詩人認識的人，孤獨之感油然而生。但，詩人有著自己的世界，他運用了「采薇」的典故說明自身的情懷。

「采薇」是殷商末年伯夷與叔齊的故事。他們不願吃滅掉自己

暉，呈現出秋日美景。此時放牧者驅趕著牛群回家，獵人騎著馬也帶著獵物滿載而歸了。大家彼此看望著，卻不相識，於是我放懷歌唱，不禁懷想起古代采薇而食的隱士啊！

國家的周朝的食物，於是隱居首陽山，採食野菜果腹，臨終作〈采薇〉歌以明志，所以後來「采薇」又被用來比喻為隱居山林。從這裡我們可以看出，王績是透過懷想古代隱士，述說自己隱於山野間的心靈寄託，平淡、寂寞，卻十分滿足。

也許現代人並不覺得這首詩有何特別，只不過是田園詩風而已。可是如果從六朝詩歌一路讀下來，置身於華靡豔麗的氛圍許久之後，忽然讀到〈野望〉這種不施脂粉的樸素，就會明顯感受到它的魅力。

此外，前面提到，初唐直至沈佺期、宋之問才正式將詩的格律定型，成為重要的詩歌體裁。然而，〈野望〉的體裁正是五言律詩，作者王績早於沈、宋有六十餘年之久。能寫出這樣成熟的律詩，王績真是個詩的先知者。

四傑的排名與本領

王績之後，「初唐四傑」帶來了盎然生氣，可說是初唐詩歌革新與發展的代表。《舊唐書・楊炯傳》中記載了楊炯、王勃、盧照鄰和駱賓王：「以文詩齊名，海內稱為王、楊、盧、駱，亦號為四傑。」

四傑主張應該學習漢魏詩歌的遒健有力，反對沿襲六朝的淫靡華豔，除了在詩文的內容、風格上勇於改革，努力擺脫陳、隋風氣，積極開拓新的思想和題材、探索詩的格律與形式，並將五言律詩發展得相當成熟。他們的活動時期差不多，都在唐高宗、武后之間，因此常被相提並論。

「四傑」的排序有很多種，但以「王楊盧駱」為主，可能是因

夜送趙縱

唐・楊炯

趙氏連城璧，由來天下傳。
送君還舊府，明月滿前川。

我的朋友就像價值連城的和氏璧一樣，為天下人所敬重。然而因為世事不如意，決定返鄉，就像是「完璧歸趙」一般。我在渡口相送，你離去之後，明月的光芒照亮了整條河川，宛如我依依不捨的情意。

為王勃被認為是四人中成就最高的。對於這樣的排序，楊炯頗不以為然，曾表示自己「愧在盧前，恥居王後。」他很客氣的認為盧照鄰比自己有才華，卻又很得意的覺得自己的才華勝過王勃，不該屈居其後。

恃才傲物的楊炯，十一歲就被舉為神童，二十幾歲應制及第，算是少年得志。但官途幾經變化，調任盈川縣令時，以執法嚴酷著稱，最終死於任所，因此又被稱做「楊盈川」。

楊炯善於寫邊塞詩，詩風充滿戰鬥精神，氣勢至為豪放。像是他在律詩〈戰城南〉這首詩中，描寫戰場上見到的景象：「幡旗如鳥翼，甲胄似魚鱗。凍水寒傷馬，悲風愁殺人。」運用了視覺上的聯想，豐富的感官，將戰場上的肅殺之氣生動傳達。這四句詩兩兩對仗，對得整齊自然，也遵從了律詩的規則。

楊炯還有一首為人稱道的絕句〈夜送趙縱〉，則是運用了「完璧歸趙」的典故。

這位人品與才華皆很出眾的朋友趙縱，名滿天下，就像和氏璧一樣是天下之寶，卻因為仕途不如意而返鄉。送別之時，楊炯一方面感到惋惜，一方面由衷仰慕。朋友飄然遠去，楊炯不寫離情，而寫眼前所見，用一種如夢似幻的情境作結。

朋友宛如明月的光華，照亮了一整條河川，而詩人猶在川前佇立著，是這樣的深情。

玄宗時文學造詣極高的宰相張說就曾說：「楊盈川文思如懸河注水，酌之不竭，既優於盧，亦不減王也。」相當推崇他的成就，給予頗高評價，真可說是楊炯的知音。

盧照鄰是四傑中年紀最大的，自幼聰穎，很年輕就獲得了賞識和提拔，只是升遷並不如想像中順利，頗不得意。接著，又因身染惡疾，連名醫孫思邈悉心醫治都無法治癒，才不得不退職。

歸鄉後，他買了田地養老，似乎有過一段還算愜意的時光。在平靜安適的生活中，他寫下〈春晚山莊率題〉兩首，都用活潑的語調描述大自然帶給他的喜悅。

像是第一首的「遊絲橫惹樹，戲蝶亂依叢。竹懶偏宜水，花狂不待風。」蜘蛛絲「招惹」樹木，彩蝶「依戀」著花叢，水邊竹子的姿態是「慵懶」的，花兒不待風吹便開得「癲狂」，真是「擬人法」

孫思邈

是中國古代著名的醫家、藥家，也是道士。他是個神童，小時體弱多病，為了替他醫病，家人蕩盡資產，因此他立志學醫濟世。他著作的醫書深奧精妙，影響深遠，被稱為「藥王」。他認為行醫最注重的兩件事，一是技術精良、一是品格高尚，頗受時人尊崇，盧照鄰也拜他為師。

春晚山莊率題　其二

唐・盧照鄰

田家無四鄰，獨坐一園春。
鶯啼非選樹，魚戲不驚綸。

山水彈琴盡，風花酌酒頻。
年華已可樂，高興復留人。

我居住的田園並沒有鄰居，很多時候只是獨自一人坐在小園中，感受著春日的蒞臨。黃鶯鳥不管在哪棵樹上鳴叫都那麼好聽，魚兒不用擔心垂釣客的到來，歡快的在水中嬉戲。在山光水色中，我把曲子都彈盡了，於是在暖風吹拂與繁花圍繞下，一杯接一杯的喝許多酒。這樣的歲月是多麼快樂，讓人忍不住興致高昂的留戀不去啊！

的最佳範例。

而第二首又寫出獨居鄉間的生活，依然充滿趣味：聽著悅耳的鶯啼，看著悠游的魚兒，聆賞琴聲，飲用美酒，享受年華歲月已是快樂的事，在這樣的環境與興致中，更是讓人留戀不已。而當我們都沉浸在詩人「高興復留人」的興高采烈中，卻不料詩人終不敵病痛折磨，投潁水自盡了。

盧照鄰擅長「歌行體」，筆法縱橫奔放，意境清拔，代表作是長達六十八句的七言長體詩〈長安古意〉，揭

露了唐代國都上層社會的現實面貌，具有批判精神，被譽為劃時代力作。其中「得成比目何辭死，願作鴛鴦不羨仙。」更為千古名句。如果能與我所愛的人成為比目魚一般的伴侶，那麼，我情願像禽鳥鴛鴦，成雙成對，也不羨慕天上的神仙，他們雖然長生不死，卻沒有親愛的伴侶，多麼孤獨！直到現代，人們仍用這樣的詩句來歌頌浪漫的愛情。

詠鵝

唐・駱賓王

鵝，鵝，鵝，
曲項向天歌。
白毛浮綠水，
紅掌撥清波。

眾蟬鳴叫最高音

四傑中的駱賓王，出身寒門，當過主簿等小官，曾被誣陷而入獄，之後出任地方官臨海縣丞，所以又被後人稱做「駱臨海」。一直抑鬱不得志的他，在武后稱帝後，投入徐敬業陣營，起兵討伐武則天。起兵時該有一篇筆力如刀的文章，數落武則天種種惡行與罪孽，才能師出有名。駱賓王起草了著名的〈為徐敬業討武曌檄文〉，雖然極盡詆毀辱罵之能事，卻鏗鏘有力，擲地有聲，連武則天看了都非常讚賞，還感歎他不能為己所用。

之後，徐敬業兵敗，駱賓王不知去向，大家對他的生死多所推測。有說被殺殉死的，也有投江而死或遁世隱居的，還有人說他是到靈隱寺削髮出家了，充滿傳奇色彩。

鵝，鵝，鵝，拉長彎彎的脖子，不斷朝天叫喊著、歌唱著。看那雪白的羽毛浮在綠水上，紅紅的腳掌卻在水下不停划動著水波。

在獄詠蟬

唐・駱賓王

西陸蟬聲唱，南冠客思深。
不堪玄鬢影，來對白頭吟。
露重飛難進，風多響易沉。
無人信高潔，誰為表予心？

深秋的寒蟬不停在樹上鳴叫，蟬聲使我懷念家鄉的情緒格外深厚。我怎

駱賓王小時候也是個神童，七歲就寫了〈詠鵝〉一詩，連小朋友都能夠琅琅上口。

當時小小年紀的他，覺得鵝的叫聲很有趣，彷彿是在叫喚著自己。白毛、綠水與紅色的腳掌，色彩的配襯也很鮮明，於是只用少少的、簡單的幾個字，掌握住鵝的叫聲、體態和游水的特色，呈現了最純樸的真實。以他當時的年紀，確實令人驚歎。「神童」的稱號，果然不是浪得虛名。

駱賓王的詩，題材較為廣泛，他才華高，卻居於卑職，所以抑鬱、激憤之情常見於紙上。駱賓王擅長七言歌行，五言律詩也甚為精練，筆力雄健，意境深遠，名作〈帝京篇〉是初唐少有的長篇詩歌。而〈在獄詠蟬〉則是任侍御史時被誣陷下獄所作，將悲憤無奈之情寄託於詠物之中。

古人將蟬視為高潔的象徵，因為蟬總是棲息在較高的樹梢，飲著清潔的露水，彷彿與世無爭。古來詠蟬的詩人、詩作實在不少，而駱賓王這首〈在獄詠蟬〉，則最為人熟知。

全詩多對仗，其中「西陸」指的是秋天，「南冠」是楚國的帽子，堪忍受正當盛年好時光，卻得在此獨自吟誦〈白頭吟〉這般哀怨的詩啊！世態多麼炎涼，就像露水很重，打溼了蟬的翅膀，使牠飛不動；而風很大，叫聲易沉，也難被聽見。沒人知道我像秋蟬般的高尚廉潔，有誰能明白我的遭遇、替我表白心情呢？

意指囚徒；「玄鬢」則是蟬的黑色翅膀，用來比喻自己正當盛年，哪堪在此忍受含冤莫辯的苦楚，還要吟誦著〈白頭吟〉，感受即將白頭的憂慮。

接著感歎世態，以蟬的遭遇來比擬自己的處境：他遭受誣陷，難以申冤，只能以蟬的高潔來力證清白品行。最後使用了「激問法」：有誰能懂我的忠良之情呢？

從這首詩中，我們看見了詩人的風骨，以物喻情，情長而有力，難怪能成為初唐律詩中的名篇。就像是眾蟬喧譁，卻凌駕於一切的拔高之音，千古不絕。

水仙王的孤單飛行

一般認為，「初唐四傑」中藝術成就最高的，就屬王勃了。

王勃出身書香世家，是詩人王績的侄孫，隋煬帝時的經學大儒王通是他的祖父。他從小聰

六經

春秋時代孔子在講授學問時，所編選的六種教科書。分別是《詩》、《書》、《禮》、《易》、《樂》、《春秋》。他的弟子不斷的強化這六部經典，到了漢代則被稱為「六藝」，是儒家必讀的六部作品，可惜《樂》已失傳。

慧好學，能詩能賦，時人公認為天才；他受右相推薦應考當上官職時，只有十四歲，不過是現在國中生的年紀。

《舊唐書》說他六歲就能寫文章，「構思無滯，詞情英邁。」和他爭排名的楊炯在《王勃集序》上也讚他九歲就讀顏師古所注解的《漢書》，並且能指出書中錯誤，寫了《指瑕》十卷；而十歲時更在一個月內便通讀了六經，沒有一點障礙，簡直是「懸然天得」。

綜合起來，我們發現「初唐四傑」還有一項共通點：各個都是神童。

然而儘管出身世家，王勃的家道並未昌隆繁盛。他極年輕就踏上了仕途，卻從未居高位。整體來說，他經常得罪人，兩次因事受懲而被罷官，其實都與才高遭嫉脫不了關係。

尤其第二次的打擊幾乎丟掉性命，不僅宣告仕途終結，還連累父親被貶謫到遙遠的南荒之地——交趾——當縣令。之後，王勃也就為了千里迢迢去交趾探望父親，渡海時不幸溺水而死，結束了二十七歲的年輕生命，令人感到惋惜。至今，仍有許多從事漁業或航海的人供奉王勃，並尊稱他為「水仙王」。

送杜少府之任蜀州

唐．王勃

城闕輔三秦，風煙望五津。
與君離別意，同是宦遊人。
海內存知己，天涯若比鄰。
無為在歧路，兒女共沾巾。

站在關中秦地護衛著的長安城上，四周是壯闊的山河；雲煙迷茫中，遙望你將赴任的蜀州。我和你同是在外地做官的遊子，離開了家鄉，現在還要面對你的離去，真是充

王勃詩文俱佳，為四傑之首，在文學上崇尚實用，並秉持「以立言見志」的論點，具有改革、開創的理想，確實對初唐文風起了很大的轉變作用。

他的詩多抒發個人情志，也抨擊時弊，明代著述豐碩的文學家胡應麟，甚至認為王勃的五言律詩是「唐人開山祖」，給予相當的肯定。其中，著名的〈送杜少府之任蜀州〉，即是詩歌史上一大傑作。

這首詩是王勃在長安任官時，為送別一位姓杜的朋友赴蜀州任少府一職而寫的。

首先他用了一組對仗的句子，點出送別的地點，也將歷史悠久的壯闊山河呈現出來。正因山河壯闊，風煙迷茫，在這種地方分別，更加令人不捨。接下來他傳達了與好友的離別之意，然而就在情緒滿漲時，忽然筆鋒一轉，說朋友之間只要相知相惜，就算各奔天涯也如在近旁，情誼不會輕易被阻斷。

這樣的送別名篇，表達了真摯的友情，卻不陷溺在離別的悲傷、惆悵裡，反而豁達開朗，讓整首詩充滿樂觀進取、青春蓬勃的味道。

滿了惜別之意啊！但其實，四海之內能擁有你這樣的知心朋友，即使遠隔天涯，都能感覺如同比鄰而居一般。既然如此，那麼在分別的路口，我們就不要像小兒女一樣，把手巾都哭溼了。

尤其「海內存知己，天涯若比鄰。」兩句，更是千古傳頌，即使於一千四百年後的現今生活中，仍常被引用！如此清新質樸、帶著奔放朝氣的詩風，實具開創性與啟發性。

王勃還有一段為人所稱道的事蹟，也是他最著名的作品〈滕王閣序〉的由來。

滕王閣是唐高祖李淵之子滕王李元嬰，在任洪州都督時所建。王勃二十七歲時，探親路過南昌，正好碰到洪州都督閻伯嶼重修滕王閣竣工，於閣上大宴賓客，順便餞別新任的新州刺史，王勃也躬逢其盛。

席上閻伯嶼假裝邀請賓客為滕王閣寫序文，其實是想讓女婿孟學士大展身手，好好出個風頭。不料王勃竟大方的提筆就作，閻伯嶼因此憤而離席，去了別室。

當他聽見「南昌故郡，洪都新府。」還覺得「亦是老生常談」；接下來的「台隍枕夷夏之郊，賓主盡東南之美。」閻伯嶼開始沉吟不語了；直到「落霞與孤鶩齊飛，秋水共長天一色。」出現時，當下驚呼：「此真天才，當垂不朽矣！」於是立刻回到席間，站在王

滕王閣詩

唐・王勃

滕王高閣臨江渚，
佩玉鳴鸞罷歌舞。
畫棟朝飛南浦雲，
珠簾暮捲西山雨。
閒雲潭影日悠悠，
物換星移幾度秋。
閣中帝子今何在？
檻外長江空自流。

高高的滕王閣仍然依山傍水矗立著，但當年身掛佩玉、駕著鸞鈴馬車的滕王和皇親國戚的豪華歌

勃身旁，歡喜的看他寫完長長一篇〈滕王閣序〉，接著創作〈滕王閣詩〉。

〈滕王閣序〉原題為〈秋日登洪府滕王閣餞別序〉，是王勃在宴會上即席所賦的長篇，表現了他敏捷絕美的文思。只見滿座驚歎，連原本盛怒的主人都折服了，甚至讚他為罕世奇才。

這篇序文緊扣題旨，精心構畫，運用靈活多變的手法來描寫山水景色，境界奇大，情志深遠。文中的「時運不齊，命途多舛。」、「老當益壯，寧移白首之心？窮且益堅，

舞早已遠去了。早上，南浦的雲霞飛進這雕梁畫棟中；黃昏，西山的細雨捲入了珠玉簾子裡。安閒的雲影映在清澈的潭水中，顯得長日悠悠；而萬物變換不斷，星座移動，不知已過了幾個春秋。那高閣中的滕王，如今在什麼地方？只有欄杆外的長江，空自奔流。

不墜青雲之志。」、「漁舟唱晚」、「落霞與孤鶩齊飛，秋水共長天一色。」等，千百年來仍為人們所吟詠。

特別是「落霞與孤鶩齊飛，秋水共長天一色。」已成為難以取代的寫景名句。那畫面是落霞從天而下，孤鶩則由下而上，看起來就像一起飛行的樣子；而碧綠秋水連接著青天，蔚藍長空映照著碧水，天水合為了一色。不但意境佳妙，且含壯志高才欲與時並進的願景，餘韻無窮。奇才得以不朽，由此便能看出了。

〈滕王閣序〉之後其實有〈滕王閣詩〉，但〈滕王閣詩〉往往被淹沒在著名序文的光華裡。然而，這首詩仍屬上乘之作，一點都不輸〈滕王閣序〉。

他開門見山說了滕王閣地形之好，但當年建閣的滕王早已死去，繁華歲月不復返了。三、四句寫滕王閣的美麗，卻顯出了淒清冷落。接著用空間和時間的轉換，點出經年累月的「物換星移」，感慨滕王雖建造了這座富麗畫樓，但如今安在？「空」正說明世間哀榮的無定數，所以什麼是永恆的呢？只有長江依舊奔流。

這首詩展現了高遠的情懷、遼闊的眼界，亦有著對應、音韻及

凝煉之美，讀來鏗鏘有力、氣象萬千，充盈著無限的美感。

「初唐四傑」的創作，使律詩大致已臻成熟，在內容和境界上，可說擺脫了六朝，確實為唐詩的繁榮發展，起了承先啟後的作用。

砸名琴而行銷詩

初唐在「四傑」之後，沈佺期和宋之問繼承了近體詩雛形，接續努力，奠定了五言、七言律詩的格律，正式和唐以前的古體詩脫離關係。

與沈、宋同時的，還有李嶠、崔融、蘇味道及杜審言，號稱「文章四友」。杜審言是盛唐大詩人杜甫的祖父，精於五律，和沈、宋的風格相近。其中，沈佺期和宋之問齊名，時稱「沈宋」。然後賀知章、陳子昂等人，也加入了革新的行列。

沈、宋兩人頗得武則天賞識，卻也都被貶謫至荒遠地帶。沈佺期的〈雜詩〉、〈古意〉，宋之問的〈題大庾嶺北驛〉、〈渡漢江〉，都具有完整的格律形式，極受後代評論家所推崇。尤其它們也是氣

渡漢江

唐・宋之問

嶺外音書絕，經冬復歷春。
近鄉情更怯，不敢問來人。

我在嶺南許久，與家鄉親友的音書斷絕、沒有聯絡。經過冬天又春天，也有兩年了。現在我正要渡過漢水，前往懷念已久的故鄉的路上，但怕家人受我連累，心情反而有些慌亂，甚至不敢跟迎面而來的鄉親詢問消息。

勢流暢、情感及語言淬煉的佳作，宋之問的〈渡漢江〉，就非常有生活的真實感。

宋之問兩度遭到貶逐，後來因為受不了流放的痛苦而逃亡，途中輾轉奔波，在渡漢水、想從南陽回到洛陽時，以罪犯的身分寫下了〈渡漢江〉。

離鄉背井的遊子，愈接近家鄉通常愈雀躍，他卻因為是罪犯而必須隱匿行蹤，提心吊膽，於是「近鄉情怯」，想問又不敢問，那種患得患失的情緒傳達得非常深刻真實。所以雖然他被流放的遭遇多半是咎由自取，並未遭人陷害，但仍能令人湧起深切的同情，可謂感染力十足。

陳子昂出生於富裕家庭，早年不喜歡讀書，愛遊獵，為人慷慨、任俠仗義，直到成年後才謝絕門客，發憤勤學、博覽群書。在學業有成後，他前往長安，卻一直得不到名家賞識。

有一天，他買下了一把百萬古琴，轟動市集，並邀眾人到家中賞玩。人們以為他是個音樂家，也很想聽聽名琴能演奏出怎樣的音樂，於是蜂擁而至，滿懷期待。想不到他竟然當眾砸碎了琴，說他其實不懂彈琴，只是個很會寫文章的書生。此舉果然讓他一舉成名，真是個懂得行銷術的高手；這一回，他行銷的是自己。

他二十四歲中進士，深得武則天欣賞，官至右拾遺。可惜雖然關心國事，甚至從軍出塞、和當地人民一起生活，政治改革意見卻常不被採納，而性格上的直言敢諫，也讓他屢被降官。

懷才不遇，壯志未酬，加深了他對現實的體認，於是辭官回家。之後，他被縣令以判亂罪迫害，誣陷入獄，不久憂憤而死，得年僅四十二歲。

陳子昂或許無法革新當時的政治，卻成為唐詩革新的先驅者。「四傑」之後有沈、宋，但到了陳子昂，才算徹底扭轉了華靡的形式主義，內容真實、清新。唐詩走到這裡，更有突破性的發展。

陳子昂的詩風雄渾清峻，語言質樸蒼涼，除批評齊、梁的靡靡之音，還主張學習漢魏風骨，詩文要有真實的思想、感情，也要反映現實的社會生活。代表作〈感遇〉詩三十八首，便是借古喻今，旨在抨擊時弊、抒寫情懷；或託物寓情、諷刺現實。

他是一個有政治思想和才能的文人，對報效國家滿懷熱血，〈感

登幽州台歌

唐・陳子昂

前不見古人，
後不見來者。
念天地之悠悠，
獨愴然而涕下。

往前看，不見古代那些禮賢下士的明君；往後看，也不見將來的聖賢與哲人。我登上幽州台遠望，懷想這無窮無盡的天地，慨歎自己空有抱負卻無法施展，不禁孤獨、感傷的流下了眼淚。

遇〉詩第三十五首就提到自己：「本為貴公子，平生實愛才。感時思報國，拔劍起蒿萊。」充滿了真摯的奔放情感。

北京古稱幽州，陳子昂隨軍出征契丹來到幽州。因戰情緊急，他進言獻略卻反被降為軍曹，心情受到嚴重打擊。接連的挫折，使他寫下了一首詩。這首詩，便是感人無數、也收錄於《唐詩三百首》的〈登幽州台歌〉。

詩中表達了對「古人」——也就是戰國時燕昭王在幽州台禮遇樂毅、燕太子丹禮遇田光等事蹟——的欽佩與羨慕，而未來的賢主哲人他又無法等到，覺得自己實在生不逢時。於是登高遠望，卻只見偉大而蒼茫的天地，不禁悲從中來。

人都有不如意的境遇和孤獨苦悶的情懷，所以幾乎每個讀過本詩的人都很有感受，能產生共鳴。詩短情深，表現了詩人懷才不遇、寂寞失落的感慨，調性慷慨悲涼，語言簡潔蒼勁，堪稱千古絕唱，被公認開拓唐詩的新境界。

整體而言，唐詩的思想性與藝術性完美結合，達到了很高的境界，加以題材和風格多樣化，於是成為一個時代的標記，甚至是不朽的偉大文學。而初唐作為唐詩繁榮的準備、醞釀、形成期，功勞相當大。

我們可以說，有了初唐詩人革新與開創的努力，才有盛唐詩人的燦爛光焰，而唐詩，也才能夠永垂千古而不墜，至今仍在我們口中傳誦。

座右銘：海內存知己，天涯若比鄰。

人漸漸長大，總是會面臨離別。其實，離別是另一個開始，所以不必哭哭啼啼、悲傷難抑，把「海內存知己，天涯若比鄰。」兩句放在心上吧，體會千山萬水並不能阻礙深厚情誼，只要多付出關心、互相扶攜，便是永遠的朋友。

主題二　神童詩人資優班

創作模式啟動

模式一、〈在獄詠蟬〉的鳳頭豹尾

好的文章一定會有個吸引人的開頭，才能抓住讀者的注意力，俗稱為「鳳頭」；然後是重要的本論，則要有豐美、達意的敘述，即「豬肚」；而最後的壓軸，更要簡潔的強調主旨，讓人回味無窮，便是收縮有力的「豹尾」。

本詩亦如此。首聯採用了精采的破題法，鋪陳寒蟬鳴叫，再用典故「南冠楚囚」說明自己身在牢獄，馬上點明了題意，緊扣詩名的「在獄」及「蟬」，來吸引人聽他往下講，這是「鳳頭」。

接下來四句，敘述了因蟬而興起的悲苦緣由，並以蟬遭遇重露及大風，來比況、傳達自己受到誣陷、難以申冤的處境，而且用對仗語法展現文字的美感，都符合「豬肚」原則。

收尾兩句，總結全詩的意旨：我的忠良，有誰能懂呢？簡潔有力，言之有物，此為「豹尾」。

模式二、〈登幽州台歌〉的空間氣魄

本詩前兩句寫古今時間的綿長，但第三句登樓眺望的「念天地之悠悠」，才是關鍵。因為眼界擴大到遼闊無垠的天地，空間氣魄就展現出來了，然後才帶出自己的孤單苦悶，對比映照，分外動人。如崔顥的「白雲千載空悠悠」，也很有力道。

所以寫文章描述感受時，若能和大自然結合，那麼我們所書寫的個人情懷，就不會太過狹隘、貧乏了，反而會有從小及大、由內往外放的空間氣勢，以及深廣美感，是寫作上的好方式。

主題三

他是明月的孩子——李白

少年行
望廬山瀑布　二首之二
贈孟浩然
春夜洛城聞笛
清平調三首　其一
清平調三首　其二
清平調三首　其三
宣州謝朓樓餞別校書叔雲
將進酒

謎樣的天上謫仙

盛唐時期的李白，可曾想到一千多年後，全世界華人小孩認識的第一首詩幾乎都是他的〈靜夜思〉，並且成為知名度最高的中國詩人？

許多人都愛李白，除了那才華洋溢、浪漫飄逸的詩作外，他的好劍術、任俠仗義，也十分受推崇。他喜讀奇書、天資聰穎，連賀知章都讚譽他為「天上謫仙人」。

謫仙，其實說的就是出世的天才。李白在各方面都不受限制，所思所想皆與眾不同，他的一些宗族兄弟就常講：「李白五臟六腑

跟我們不一樣，是用錦繡做成的。」別說同代的人看到他的詩都甚覺震驚，現今我們看了，仍然很是震驚。那些斐然又磅礴的詩句，不像「人」類作出來的，倒像是神仙的手筆。但「仙」為什麼會到人間？可能在天上犯了錯，因罪被貶謫到人間來，因而後人稱他為「詩仙」。

李白確實是非常特別的人。他的一生帶著許多未解之謎，帶著傳奇性，所以這人裡裡外外、通通徹徹，都是備受矚目的焦點。

他出生在什麼地方？故鄉在哪裡？算是什麼地方的人？直到現在，仍有許多不同說法；他是怎麼死的？死在哪裡？死時情況如何？更有各式各樣的揣測。

李白，字太白，其先祖在隋朝末年，因戰亂逃到一個叫「碎葉」的地方，也有傳說是因犯罪被放逐，總之就在現今吉爾吉斯共和國托克馬克附近，那裡曾是前蘇聯的附庸國之一。

李白誕生於碎葉，大約五歲時，父親帶著整個家族離開，回到了中國。後來全家遷居西蜀（今四川）昌隆縣青蓮鄉，李白在這個地方成長、學習，度過二十年左右的光陰，所以，李白認為自己是

青蓮人士，便自稱青蓮居士。

李白並不是俄國人，他的父親叫李客，從名字可以猜測這是個客居異鄉的人。他的家鄉既不在蘇俄，也不在四川，因為一直遷移著，所以他到底是哪裡人呢？至今都還是個謎，無法確定。

但我們知道他的父親極有可能是做生意的，因為他在〈上安州裴長史書〉中說：「曩者游維揚，不逾一年，散金三十餘萬。」他長大離開四川後，到各地去遊歷，不到一年，就把身上的黃金散盡。散了多少？三十餘萬！由此證明他的家境相當富裕。

那麼，這三十餘萬金是散到哪兒去了？李白從年少時就愛觀奇書，不只看儒家思想的書，還看各式各樣奇怪的書，其中老子、莊子的學說對他影響相當大。

再者，他喜遊神仙，覺得自己一定會遇到神仙，跟著仙人飄然遠逸，所以他求仙訪道，憧憬神仙生活。再來，他好劍術，是一個武林中人。我們看到很多地方留下的很多資料，都指出他極好劍術，是個「劍俠」。

李白能文能武，志氣相當宏放，有各方面的才能和興趣。而一

個很有才華的人通常很難被固定在一個模式裡，於是他四處雲遊，去涉獵他喜歡的事物，當然也會遇到許多人。「有落魄公子，悉皆濟之。」關於散金這件事，他接濟了很多落魄的貴公子，一出手都是很大方的，於是三十餘萬金不到一年就花光了。

李白還有個未解之謎。一般詩人自年少起就會立下志向：考科舉，開展仕途。可是李白從未考過科舉，這也是件很神祕的事。

有一種比較可信的說法：在唐朝考科舉，必須把父親、祖父、曾祖父三代的履歷都明白交代，證明身家清白，才可以應考。因此研究者對李白祖上曾犯罪的揣測，多半深信不疑。

總之李白沒有考科舉，不能一圓知識分子的官宦之夢，或多或少造成了他狂放的性格與生活情調吧。

劍俠就是灑脫重情

少年行

唐·李白

五陵年少金市東，
銀鞍白馬度春風。
落花踏盡遊何處，
笑入胡姬酒肆中。

那些五陵有錢人家的貴公子，騎著配戴銀鞍的白馬，春風拂面，悠游在長安城最繁華的金市裡。

李白流傳至今的詩有九百多首，浪漫不羈、豪放曠達的他，寫下了〈少年行〉，形容當時的自己就像五陵的貴族少年一樣。在市東花了很多錢，他身騎白馬，馬鞍是銀製的，四處遊賞，度過了許多春風時光。

從白天玩到晚上，他的馬蹄踏盡了落花，最後要到哪裡去玩呢？「笑入胡姬酒肆中。」這個「笑」，有非常瀟灑、多情的感覺。他笑著進了胡姬的酒家，胡姬就是當時來中國討生活的外國女子，可能是波斯人。

唐玄宗執政之初，開元年間大唐極盛，萬國來朝，可以說是當時的「世界中心」。很多西域來的波斯女子流居於此，賣酒維生，

而百花齊放、遊人聚集的地方都已踏盡，還要再去哪兒遊玩呢？想起長安城中美麗的胡人女子，便笑著走進那些酒家了。

人們經常到長安繁榮的西市、東市胡姬酒肆裡喝酒聊天，包括名士與俠客，而李白也常去那樣的「夜店」狂歡。此即他的年少生活。

其實杜甫、王維也寫過〈少年行〉，與李白不同之處在於，王維的組詩呈現出少年們意氣相投、從軍報國、勇猛殺敵的恢弘豪氣；杜甫筆下的少年，則血氣方剛、蠻橫無禮。至於李白詩中的少年，一派的無憂無慮、風流倜儻、率性瀟脫，帶出了詩仙的浪漫情懷與不羈性格。

這樣的浪漫性格，使很多傳說變得可信。

據說李白曾經因為救人，仗劍殺了一個不義的丈夫，聽起來挺有劍俠的氣概與精神。此外，因為皇室有胡人的血統，因此充滿尚武精神，很重視武功。

那時的大唐，可說是最重視「俠」的一個朝代。很多官方無法解決的事情，百姓就期望俠士可以挺身而出。從盛唐到中唐，李白就在這樣的氛圍下，路見不平，行俠仗義，自然而然便成為眾人所冀望的劍俠了。

少年李白的俠義、濃烈情感，也表現在與身邊朋友的相處。

大概從二十歲離蜀之後，有將近二十年的時間，他都在四處遊歷，過程中結識了許多好朋友。其中，有一位叫做吳指南的人跟他感情非常好，是他結伴遠遊的好友。後來吳指南在遊歷途中得病死去了，李白至為悲痛，「炎日伏屍」，在夏日炎炎時伏在好友屍體上痛哭。炎夏時屍體很容易發臭，但他陪著，不願意離開。「氣盡，泣之以血。」痛哭到眼睛裡流不出淚水，竟流出鮮血來，那是何等悲慟呀！

之後，他將好友埋在洞庭湖邊，繼續行程，可是心中一直記掛要把朋友帶回故鄉安葬。所以幾年後他又回到了洞庭湖邊，開啟墓穴，將骨骸背在身上走了好幾百里，最終歸葬到「日照香爐生紫煙」的故里。這是劍俠對朋友的濃情厚義。

遠遊時期，一顆亙古恆星誕生

李白的創作，跟他人生幾個階段有相當的關聯。第一個階段就是遠遊時期。他浪跡天涯、四海為家，看到了很多景色，認識了很多朋友。也就在這二十年間，完全奠定了他在詩壇與政壇的地位；尤其詩壇上的成就，更使他成為一顆耀眼的千古恆星。

漫遊期間，結識各種豪放的朋友，便一起喝酒，喝到酩酊大醉；而大醉後，李白就寫詩。漸漸的，聲名在外，大家都知道他是一個嗜酒的詩人。

可不只是遊山玩水而已，這段時期，他寫了一些著名的觀景詩，其中〈望廬山瀑布〉寫了兩首，第二首非常有名，可謂他觀景詩的

望廬山瀑布 二首其二

唐・李白

日照香爐生紫煙，
遙看瀑布掛前川。
飛流直下三千尺，
疑是銀河落九天。

天氣晴朗，陽光照在雲霧縹緲的香爐峰瀑布上，升起了如夢如幻的紫色霧氣，遠遠望去，有如長長的河流從高天懸掛下來。而這飛瀉而下的水流，有三千尺那麼長，讓人以為是銀河從天上落下來了呢！

代表作。

這首詩旨在描寫廬山瀑布的壯麗景色。歷史上形容瀑布的詩很多，為什麼李白這首會傳誦不絕呢？因為「飛流直下三千尺，疑是銀河落九天。」他形容這瀑布不只是人間的瀑布，還與天上相通，瀑布飛流直下有多長呢？三千尺！其實應該沒那麼長，但氣勢盡顯。於是他懷疑這水不是水，應是天上的銀河流洩而下，才會有這般的懾人氣勢啊！

李白的詩裡最常使用誇飾手法，誇張到大的無限大，長的無限長；時間也是，所以在他筆下，時間飛逝。也因大量的誇飾，成就了他的浪漫風格，因為誇飾可以造成感官及心理上驚人的震撼，種下令人深刻的印象。

欣賞完觀景詩，再來看看李白的「詠人詩」。他愛交朋友，遇見心中仰慕的朋友，就要寫首詩送給他，其中有一首十分知名，也是此類詩作的代表作，那就是送給孟浩然的詩。

孟浩然是田園派大詩人，比李白大十二歲，李白一認識他就非常傾慕，相遇相知，便寫了一首叫做〈贈孟浩然〉的詩相贈。

贈孟浩然

唐・李白

吾愛孟夫子，風流天下聞。
紅顏棄軒冕，白首臥松雲。
醉月頻中聖，迷花不事君。
高山安可仰，徒此揖清芬。

我深深的敬愛孟夫子，您的風度品格及才華，天下聞名。年輕時，您就捨棄了顯官富貴，老來仍高臥山林，與松樹白雲同睡。明月當空，您往往飲酒沉醉，也被山林繁花所迷而不願做官。您好似那巍峨的高山，令我如何能夠仰望？只能在此崇慕的揖敬您清高芬芳的風度操守了。

一開始，就來個破題法：「吾愛孟夫子，風流天下聞。」中國人很少把「愛」這個字掛在嘴上或詩文中，我們詩仙就以這個「愛」字來作直述的吶喊，然後貫穿全詩。

接著，還解釋我為什麼愛你：因為你風流天下聞，你的風流文采，你的風骨，還有你這樣獨特的生活方式。怎樣個獨特法呢？從年輕「紅顏」時，便心甘情願丟棄世間的功名富貴；現在年紀大，「白首」了，還是隱居在松林深處，非常自在。

自從漢代末年實施禁酒令，古代酒徒不敢直說，便把清酒叫做「聖人」、濁酒叫做「賢人」，所以「中聖」的意思就是喝醉了。他說夫子你迷戀山裡一年四季的美麗花朵，賞花都來不及了，哪有時間侍奉皇上？

最後的「高山安可仰，徒此揖清芬。」你的道德、品行就像高山一樣，我站在山下，要怎麼仰望你或變成你呢？唯一能做的就是揖敬你芬芳美好的品格，從你身上稍稍得到一點點清香，我就覺得心滿意足了。狂放的李白難得這麼謙虛，可見對孟浩然充滿了崇拜和愛慕之情。

從這首詩可聯想到另一位詩人：清朝的龔自珍。龔自珍也曾非常仰慕一個人，寫下了這樣的詩句：「萬人叢中一握手，使我衣袖三年香。」說我希望在千萬人中能夠跟你握那麼一下手，只要一握住你的手，我衣袖餘留的香氣可以瀰漫三年。是不是誇張到了極致？但讓人印象深刻吧。這也是情感上非常狂放的人才寫得出來的詩。

李白自離開四川在外漫遊，就再沒有回去過了。身在異地，難免思鄉，有一個春天的晚上，他到了洛陽，突然湧起思鄉之情。

李白的思鄉詩中最有名的是〈靜夜思〉，集中在寫月亮，但另一首是從另外一個角度來想念故鄉，集中寫笛子的聲音。

這首〈春夜洛城聞笛〉第一句，他先問：誰家在吹玉笛啊？那聲音不是很大，是暗飛聲，暗就是若有似無的、幽微隱約的，如果很大聲

春夜洛城聞笛　唐・李白

誰家玉笛暗飛聲，
散入春風滿洛城。
此夜曲中聞折柳，
何人不起故園情？

陣陣悠揚而隱約的笛聲，不知是從誰家傳來的，在寂靜的夜裡，被春風吹散，飄遍了整個洛陽城。我在笛音中聽到了哀傷離別的〈折楊柳〉，誰能不被這樂曲勾起思鄉情懷呢？

就叫噪音了，無法引起人們悠然神往之情。

然後他說一陣溫暖的東風吹來，這飄渺如絲的聲音便飛遍整個洛陽城，這是聽覺上的誇飾。而漢代樂府有一首古樂曲叫〈折楊柳〉，是贈別時的曲子，今晚他就在這笛音中聽到了〈折楊柳〉。試問哪個遊子聽見這種樂曲不會懷念自己的故鄉、想要回家去的呢？他用否定的語氣來強化

思念的肯定。

此即李白想到自己為追求理想，遠離家園，因而牽動情緒，可以說他與吹笛人及笛聲產生了共鳴，也緊扣著讀此詩者的懷鄉心弦，真摯動人。

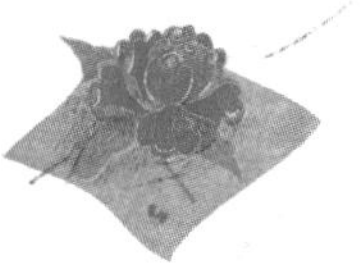

清平調　三首其一

唐・李白

雲想衣裳花想容，
春風拂檻露華濃。
若非群玉山頭見，
會向瑤台月下逢。

看見了雲彩，就想起她輕盈華美的衣裳；看見了花朵，就想到她姣好美麗的面容。在春風吹拂著

輝煌的長安，寂寞的酒仙

第二個階段是長安時期。

李白沒有功名，但名氣可比很多狀元要大得太多，四十多歲便已名動京師，連皇帝都對他很有興趣。

唐玄宗將他召到長安來，給個「供奉翰林」的官。這其實不算一個正職要官，只是皇帝在宴請賓客或跟貴妃談戀愛時，需要一個御用詩人作幾首好詩，附庸風雅一番。

於是，李白變成了一個文學侍從之臣，陪伴著雅好詩歌音樂的唐玄宗與楊貴妃賞花、作詩，吟詠著良辰美景，賞心樂事。

這當然不是李白所願，他也體會到未受重用，大志無法實現了，所以過得不是很好。酒並沒有少喝，主要是心靈上的空虛和寂寞。

欄杆，露水濃重的時候，她變得更嬌豔了。這般絕俗之美，若不是在群玉仙山看見的話，那就要在瑤台的月光下才能相逢。

清平調　三首其二

唐・李白

一枝紅豔露凝香，
雲雨巫山枉斷腸。
借問漢宮誰得似，
可憐飛燕倚新妝。

彷若一枝盛開的豔紅牡丹，在朝露中散發芬芳，也像那空讓楚王相思斷腸的巫山雲雨女神啊。這般的花容月貌，漢宮中

儘管如此，在此時期他也確實寫了不少名詩，包括非常重要的〈清平調〉三首，幫唐玄宗和楊貴妃的相戀譜上最動聽的一章。

〈清平調〉第一首，一開始就先用花和雲來形容美麗的女子楊貴妃，說她好像含露待放的花一樣。

「露華濃」三個字用得美，且分量重，以牡丹比貴妃，歌詠她的美豔；然後說這樣的美如果不是在群玉山頭才能看見，就只能在瑤台的月光下相逢了。群玉山和瑤台，都是仙人仙女住的地方，將

有誰可以比擬呢？只有剛剛梳妝完畢，非常令人憐愛的趙飛燕吧。

清平調　三首其三

唐・李白

名花傾國兩相歡，
長得君王帶笑看。
解釋春風無限恨，
沉香亭北倚闌干。

名花牡丹和美人相映生輝，常使君王含笑凝看。君王只要和貴妃一起到沉香亭畔倚著欄杆賞牡丹，哪怕有再多煩惱，也會化解得無影無蹤。

楊貴妃比擬成仙女下凡。

第二首他運用典故，拿漢代一個以瘦聞名、舞技非凡的美女趙飛燕來形容楊貴妃，這是第二個層次的修飾。

第三首，他用最貴氣華麗、也是唐朝人最愛的牡丹花，形容傾國美女楊貴妃，人與花兼詠之，再一語雙關的提到「春風」，暗指君王，這下連玄宗都入詩了。

玄宗召來大詩人陪襯自己的愛情，為的就是這種時刻呀！

看這組詩的構思多麼精巧，用三種不同方式來具體形容楊貴妃的美人玉色，且字字雅妙，意境穠麗。玄宗和貴妃當下對李白的才華自然是大為讚賞，臉上也增添了驕傲的光芒。

抽刀斷水的豪情

在長安的歲月，壯志難伸的李白是失意的，只能寫些歌詠富貴與美人的詩，儘管也創作出流傳千古的〈清平調〉，但他得罪了很多人，最嚴重的應該是高力士和楊貴妃。

高力士討厭李白，因李白有一次喝醉酒，皇帝命他寫詩，他就把自己髒兮兮的靴子伸到高力士面前，叫他脫靴。高力士雖是個太監，但和玄宗的情感深篤，在宮中地位很崇高，連太子、公主、駙馬都對他謙恭謹敬，但李白一個小官竟然如此囂張，所以高力士暗暗記恨。

後來，高力士以「可憐飛燕倚新妝」這句詩中用了趙飛燕的典故向楊貴妃進讒。說趙飛燕剛入宮時雖受寵，但漢平帝時被廢為庶人，後來自殺，是個禍國殃民的女人，李白分明就是譏諷貴妃與玄宗。

據說楊貴妃因此對李白不以為然，常在玄宗面前說他壞話。最後，玄宗便給了李白一筆錢，讓他離開了京城。

李白個性的不羈、不逢迎權貴，加上常喝醉，也是得罪很多人的原因之一吧。

他有一個小他十一歲的好朋友杜甫，在〈飲中八仙歌〉裡講到李白：「李白斗酒詩百篇，長安市上酒家眠，天子呼來不上船，自稱臣是酒中仙。」描寫了李白在長安的生活。

他狂渴欲飲酒，酒喝多了才能寫詩，詩寫得又多又好，喝醉了就在長安的酒家裡睡。皇帝在飲宴作樂的小船上叫

他來，他不去，不但不去，還說「我是酒中仙，不是你的臣子。」

瞧這人多麼狂放！知交杜甫能感覺到李白的不順心與落拓，一針見血的點出他的處境：「冠蓋滿京華，斯人獨憔悴。」

概凡詩人窮途末路了，詩就寫得特別好吧，李白在離開京城之前寫下了很有名的詩篇〈宣州謝朓樓餞別校書叔雲〉。

謝朓是南齊詩人，帶給李白很多啓發。謝朓樓是謝朓任宣州太守時所建的，唐末已改名為疊嶂樓；李雲則是李白的族叔，曾任祕書省校書郎。

宣州謝朓樓餞別校書叔雲

唐・李白

棄我去者，
昨日之日不可留。
亂我心者，
今日之日多煩憂。
長風萬里送秋雁，
對此可以酣高樓。
蓬萊文章建安骨，
中間小謝又清發。
俱懷逸興壯思飛，
欲上青天攬明月。
抽刀斷水水更流，
舉杯銷愁愁更愁。
人生在世不稱意，
明朝散髮弄扁舟。

拋開我離去的往日時光，都留不住了；擾亂我心神的今日，仍有太多煩憂。我只能上到高樓去喝酒，看著萬里長風把秋天的雁鳥都送走。您的文章如蓬萊寶藏，有建安風骨；我則追仿謝朓詩文，清新秀發。我們都有壯志豪情，想要奮飛，飛到青天上去攬抱明月。唉！欲拔刀斷水，水流得更快，想舉杯消愁，愁卻更深了。其實人生在世真正如意的時候不多，索性明早披髮，就划著小船四處漂流吧。

這首詩開頭他就說自己其實是不愉快的，「棄我去者，昨日之日不可留。」過去的時光都已經離開了，就算我想留也留不住了。有人會問：那何必一直留戀著往日呢？珍惜現在吧！

但「亂我心者，今日之日多煩憂。」我現在也在混亂的狀態中，心中煩惱的真不少。他不寫離別，不寫樓，直接道出心中的鬱悶。有「送」有「酣」，已經點出餞別的主題，並開始有些轉折的壯闊了。

然後他讚美李雲的文章有魏晉南北朝時的「建安」風骨，而謝朓又跟那時的詩人不一樣，他自比謝朓的清新秀發，也表達了對理想的追求。

他們都滿懷著逸興，都有一種豪情壯志，想要飛到高高的青天上，將明月攬個滿懷。這飄然欲飛的樣子，真是酒酣的李白啊！

末四句就非常感慨了，「抽刀斷水水更流，舉杯銷愁愁更愁。」這是描摹憂愁的千古名句。

如果想把水斷掉，拿刀出來砍是沒用的，只是阻隔它一下而已；刀拿開，水流得更快。連喝了酒也沒有用，愈喝愈愁，愈愁愈喝，變成惡性循環。最終興起自我放逐的想法：做官既然不能

稱心如意，不如去過隱逸的生活吧！

這樣的詩，相當程度的反映李白對朝政日趨腐敗及自身的際遇，都感到強烈的苦悶。

將進酒

唐・李白

君不見，
黃河之水天上來，
奔流到海不復回。
君不見，
高堂明鏡悲白髮，
朝如青絲暮成雪。
人生得意須盡歡，
莫使金樽空對月。
天生我材必有用，

但願長醉不願醒

李白承了帝命離開京城，相當失意，卻在此時寫下一首雄奇豪放的詩：〈將進酒〉。

這首詩絕對值得背誦與朗讀，若能用古漢語發音（閩南語）情味更佳。它是「樂府古題」，可誦可唱，指的多半也是飲酒放歌的行為。但詩仙就是不一樣，這首〈將進酒〉實在有氣魄，太豪邁、太偉大了！

一開始就用「君不見」抓住讀者的注意力，「黃河之水天上來，奔流到海不復回。」這是「距離」上的極度誇飾，從黃河的源頭到它入海，中間的距離有多長？如此浩浩蕩蕩，他兩句話就說完了。

緊接著「君不見，高堂明鏡悲白髮，朝如青絲暮成雪。」從年

千金散盡還復來。
烹羊宰牛且為樂，
會須一飲三百杯。
岑夫子，丹丘生，
將進酒，杯莫停。
與君歌一曲，
請君為我傾耳聽。
鐘鼓饌玉不足貴，
但願長醉不願醒。
古來聖賢皆寂寞，
惟有飲者留其名。
陳王昔時宴平樂，
斗酒十千恣歡謔。
主人何為言少錢，
徑須沽取對君酌。
五花馬，千金裘，
呼兒將出換美酒，
與爾同銷萬古愁。

輕到年老的漫長歲月，他也壓縮成早晨到黃昏，兩句道盡，這是「時間」的極度誇飾。除了詩仙，沒人寫得出來。時間是如此不可掌握，所以，他宣揚著及時行樂的「盡歡」主義。

「天生我材必有用，千金散盡還復來。」是他人生價值觀的一個宣言，也是對自我存在意義的肯定。你得找出自己的「才能」來，「才能」隨意花錢，然後還可以再賺。殺牛煮羊，開心大吃一頓吧！在很短的時間內喝上三百杯，這也是誇飾法。

他和岑夫子到丹丘生的山居作客，兩人都是他以前漫遊、隱居時候的道友。他說：喝酒吧，不要停，喝到興致來了，要唱歌了，你們好好聽我唱吧！把最好的樂器、最好的食物都擺上來，我的目的是長醉，我不要做一個清醒的人。

「古來聖賢皆寂寞，惟有飲者留其名。」這兩句其實有點悲痛，也有很深的內涵。古代聖賢們，活得快樂嗎？他們不被理解、不被尊重，如此寂寞，反觀那些酒徒豪客還滿受重視的。

李白就講了一個他認識的酒徒裡氣質最好、才華最優、地位最高的陳王——曹操的兒子曹植。他說當年這有名的酒徒在平樂寺宴

你沒有看到那黃河的水從天上飛下來，一直奔流到海，永不復返嗎？你沒有看到在高堂明鏡前，為長出的白髮而悲傷嗎？像是早晨秀髮還如青絲般烏黑，到了晚上已滿頭白髮了。人生得意時，要盡情享樂，不要讓金杯空對著明月。上天生下我這個人，一定有用處的，即使千兩黃金都散盡了，依舊會回到身邊來。為了眼前的歡樂，烹羊殺牛來吃個痛快吧！而且要開懷暢飲三百杯！岑夫子、丹丘生，請你們不要放下杯子，盡情的喝吧！我來為大家唱一曲，你們可要仔細聽一聽。美妙的音樂和美味的食物都不足貴，我只希望長醉下去，永遠請賓客時，昂貴的酒一桶一桶搬，數都數不盡，就是要賓主都喝個痛快。

接下來李白請主人把小僮叫出來，用他最好的馬、最貴的狐裘，去賣了換成美酒！為什麼要喝這麼多酒呢？就是要跟你們一起消除萬古憂愁。

可見他表面上看似快樂的喝酒，強調及時行樂，心中卻有很大的寂寞和痛苦。因為胸懷遠大抱負卻無法施展，又不屑權貴和世俗，只好借酒紓解愁鬱。

這首詩的每一句幾乎都用到了誇飾法，能夠造成一些新奇的效果。時間的

不再醒來。自古以來的聖賢都孤寂一生，只有飲酒豪客才能留下美名。想當初陳思王曹植在平樂寺設宴，可是痛快的飲著一斗值十千錢的昂貴美酒啊！主人啊，不要說錢少，你只需放心、開懷的與我乾杯就行。我那名貴的五花馬和千金狐裘，都讓孩子們拿去換美酒吧！我們就盡情歡樂，一同消除無盡的萬古憂愁吧！

誇飾，還有數量、距離的誇飾，就造成了驚人的藝術效果，也反映出李白放蕩不羈的性格。

所以在看這首詩時，會被震撼住，哪怕不知道意思，在閱讀時、吟誦時，都會感覺到音節之美。裡面句法多變，有十個字的長句子，也有很短的三個字，相互呼應，節奏感跟音樂性就出來了，就算不唱，也能有唱的感覺。整體氣勢，著實明快、奔放，使他穩穩坐上豪放浪漫派第一把交椅。

離開長安，轉過千重山

最後一個階段，李白得罪權貴之後，離開長安，開始過著遊山訪仙、痛飲狂歌的生活。看起來好像挺愉快，其實因為懷才不遇，還是有幾分憂憤。除了〈將進酒〉，他還寫了不少名詩。

這時，發生了驚天動地、改變唐朝命運的安史之亂。唐玄宗匆忙避難，離開京城，去到四川。當時他有兩個兒子很有勢力，一是後來的肅宗李亨，一是第十六子永王李璘。已在廬山隱居的李白，有一段時間被永王延攬為幕僚。

其實玄宗比較喜歡永王，永王也得到父親的旨意帶兵打仗；肅宗則是臣子喜歡的，所以後來眾臣擁立肅宗為帝，在靈武即位。永王軍事愈來愈強盛，威脅到肅宗，肅宗便說永王起兵造反，遂將其

捉拿、殺死。爾後長安收復，肅宗回到京城，李白因曾當過永王的幕僚，便受到牽連入獄，被判死刑。我們都知道李白不是這樣死去的，其中的轉折比小說更具傳奇性。

到底是誰救了李白？就是克復兩京的郭子儀。話說李白當年很得意、散金三十餘萬的時候，曾經在軍營前的刑場救過不小心犯了軍法，被綁起來等著處斬的年輕郭子儀，郭子儀從此一直記得李白是他的恩人。

安史之亂中，郭子儀乃平亂大將軍，知道李白快被處死了，便以他的戰功力保，李白才免於一死，但仍無法阻止肅宗對李白「長流夜郎」的重判。李白被流放夜郎，即貴州省西部。

李白長途跋涉前往流放地，後因關中遭遇大旱，朝廷宣布大赦。這時，他正到了蜀中的白帝城（今四川奉節）附近，知道遇赦得還江陵，可以回家了，非常開心，便寫下名篇〈早發白帝城〉。

「朝辭白帝彩雲間，千里江陵一日還。兩岸猿聲啼不住，輕舟已過萬重山。」一早剛辭別彩雲繚繞的白帝城，才一天工夫，便到了遠在千里之外的江陵。兩岸猿猴的啼叫聲還迴盪在耳邊，他的船已輕快的繞過萬重青山了。

流放生活很折磨人，何況他年紀大了，本來以為要去受罪，竟然可以遇赦，所以整首詩極度誇張了歸途的速度感。字裡行間，不難見他歷經重重艱難，終獲自由的暢快心情。

逃過了死劫與流放生活，李白晚年依附於族叔當塗縣令李陽冰，最後也病逝於當塗的叔叔家，得年六十二歲。或許是崇拜喜愛他的人不甘心他就這樣病死，於是造了很多有趣、浪漫的傳說，例如水中撈月，就是對於他離開人世的浪漫臆想。

不論賀知章讚他「天上謫仙人」；同宗族的兄弟形容他「五臟六腑是錦繡做成的」；現代詩人余光中說他：「酒入豪腸，七分釀成了月光，餘下的三分嘯成劍氣，繡口一吐就半個盛唐。」還是後人稱的「詩仙」、「酒仙」、「劍俠」。綜觀李白一生，意氣風發時，「人生得意須盡歡，莫使金樽空對月。」；壯志未酬時，「人生在世不稱意，明朝散髮弄扁舟。」應該都像他自己寫的那般灑脫、那般不羈吧。

李白的詩中有許多明月的意象，他似乎是偏愛明月的，而他的

詩也像是明月那樣，伴隨著無數的孩子成長。如今當我們抬頭望著明月，總能想起李白的詩，他像是明月的孩子。他浪漫飄逸，他豪邁奔放，他與明月一般亙古恆常，他是如假包換的「詩無敵」。

座右銘：天生我材必有用。

上天生下一個人，絕對有其用處，必須先找到自己的才華在哪裡。我們一定有才華，只是還沒找到，所以要下工夫尋找。然後，必須肯定自己，滿懷信心，朝著理想去努力，這樣的人生就有價值了。

創作模式啟動

模式一、〈春夜洛城聞笛〉的聽覺摹寫

玉笛的「暗飛聲」，寫出了笛音輕輕細細、隱隱約約、飄飄渺渺，正因在萬籟俱寂的夜裡才能聽見。而笛音隨著春風飄揚，全洛陽城的人都聽到了。接著再仔細聆聽，發現是離別的曲子〈折楊柳〉，整個情思便被觸動了。

全詩大量運用聽覺上的描寫，以聲音來讓人「看見」，看見每個人都被包圍在濃濃鄉愁裡的畫面。我們寫作時，最常運用的感官是「眼睛」，若能將「耳朵」聽聞到的，以文字摹寫出來，就相當具有感染力度了，能將景況和感覺，扣入人心。

模式二、〈將進酒〉的完美開句

「君不見，黃河之水天上來，奔流到海不復回。君不見，高堂明鏡悲白髮，朝如青絲暮成雪。」一開始就以兩組排比長句的美感和氣勢來震撼你，何況黃河從天上直接浩浩蕩蕩奔流入海，是空間上的誇飾；滿頭青絲在一天之內成為蒼蒼白髮，是時間上的誇飾，都帶來極度的感官感受。

而兩個「君不見」，則用設問法來改變平鋪直敘，舉出雄壯山河與渺小人生的對比，然後帶出接下來全詩書寫的人生苦短、及時行樂。

真是詩仙的文筆！我們雖難以和詩仙較量，但須記住：文章的開頭很重要，最好簡潔、新穎、緊扣主題。一個精采有力的開始，往往能吸引人往下閱讀，你的想法也才能完整的被了解。

模式三、〈將進酒〉的極度誇飾

「誇飾法」是修辭方法中常見的一種技巧，將大的誇張到無限大，小的縮減到非常小。總而言之就是「不普通」、「不平凡」，令人眼前一亮，甚至發出驚歎聲，可以說是「語不驚人死不休」。

李白就是一位誇飾高手，他的詩句能令人印象深刻的，幾乎都用到了誇飾法。像是〈將進酒〉中用了空間與時間的誇飾；自己一喝酒就得要喝三百杯；而曹植宴客更要飲盡萬斗酒，都有著不可一世的氣勢，點燃了讀者的血液，使我們也熱情激昂起來。

如果想要在寫作中更具有感染力，或是讓人印象深刻，就跟李白學學誇飾法吧。

主題三　他是明月的孩子——李白

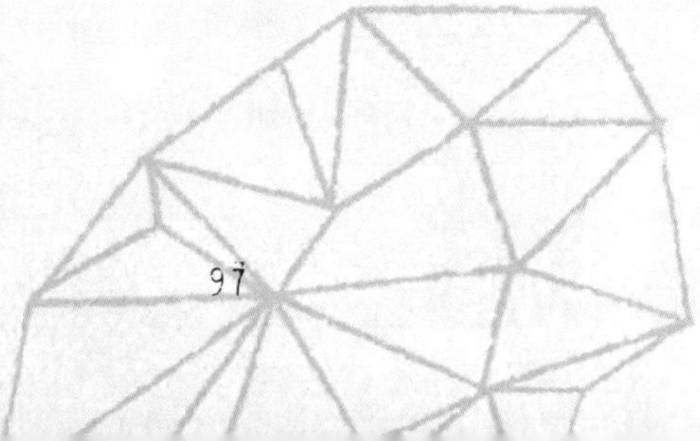

主題四

他的屋頂飛走了——杜甫

夢李白二首　其二

絕句四首　其三

貧交行

客至（喜崔明府相過）

春望

茅屋為秋風所破歌

月夜

江南逢李龜年

詩仙與詩聖

在唐代詩壇，甚至整個中國文學史上，能夠與亙古恆星——「詩仙」李白齊名的詩人，絕非泛泛之輩。他，就是讚譽李白「詩無敵」的「詩聖」杜甫。

杜甫，字子美，是唐朝現實主義詩人。他的一生創作豐富，寫了三、四千首詩，流傳下來的就有一千四百多首，風格多元，但以沉鬱為主，最擅長古體詩和律詩。

中唐時的政治家兼文學家韓愈，十分敬崇杜甫與李白，曾說：「李杜文章在，光焰萬丈長。」這兩句話不僅代表了當世的普遍觀感，也證明了韓愈的眼光精準。並稱「李杜」的李白和杜甫，風華絕代、光芒萬丈，對中國文學有著深廣而流長的影響。

同在唐玄宗開元、天寶年間活躍的兩人，文學成就不相上下，又是交情深厚的好朋友，詩風卻很不相同，也因此常被人比較：誰的成就與地位更高一些？最先提出「李杜優劣論」的是中唐時的元稹，沒想到這風潮便從此延續一千多年，至今仍有文學家爭論不休。

整體來說，「揚杜抑李」居多數，支持杜甫的人認為杜甫寫詩靠的是篤實的下苦功，就像他自己說的：「讀書破萬卷，下筆如有神。」；而李白寫詩靠的卻是天才，醉醺醺大筆一揮就成了。這種說法，其實忽略了李白自小「讀奇書」的深厚基礎。

不管誰比較優秀，我們都十分慶幸，為擁有這兩位巨星而感到驕傲；且因李杜詩風和性格大不相同，後世有許多評論著述，形成所謂的「李杜學」，讓詩仙與詩聖的光焰持續萬丈長，不也是美事一樁？

簡而言之，李白浪漫，詩風豪放飄逸；杜甫寫實，風格沉鬱頓挫。他們相識於西元七四四年，也就是唐玄宗讓李白離開長安後，他去了洛陽，才與漫遊暫回洛陽的杜甫結交。

杜甫寫過〈贈李白〉、〈春日憶李白〉、〈天末懷李白〉、〈夢

夢李白二首 其二　唐・杜甫

浮雲終日行，遊子久不至。
三夜頻夢君，情親見君意。
告歸常局促，苦道來不易。
江湖多風波，舟楫恐失墜。
出門搔白首，若負平生志。
冠蓋滿京華，斯人獨憔悴。
孰云網恢恢？將老身反累！
千秋萬歲名，寂寞身後事。

天上的浮雲整日飄蕩著，天涯故人卻久久不來。一連三個夜晚，我頻頻夢見你，可見你情真意切。夢中，你每次都匆匆告辭，還苦笑說能夠相會很不容易；而江湖有許多風波，得擔心舟船隨時會

李白〉、〈寄李白〉等等詩作，可見他有多麼仰慕、推崇這位大他十一歲的詩壇前輩。

他讚譽李白：「白也詩無敵，飄然思不群。」、「筆落驚風雨，詩成泣鬼神。」還提到他們兩人「醉眠秋共被，攜手日同行。」非常珍惜這段親如兄弟的深厚情誼。

後來李白晚運仍不順遂，甚至被朝廷賜死，因平亂大將郭子儀求情方改為放逐，就像杜甫對他的描述：「敏捷詩千首，飄零酒一杯。」李白落難時，杜甫不知道李白的轉折狀況，只心繫著被肅宗流放到夜郎的李白安危，一連三夜夢見他，懷疑他死了，便作了〈夢李白〉二首，寫出憐惜與擔憂。

這第二首，起先兩句就是思念，然後寫李白頻頻到他夢中來探訪，情深意重，展現了兩人契合的友誼。第五句到第十句，刻畫夢中李白的話語及形象，「出門搔白首，若負平生志。」見到李白苦惱的搔著白髮，彷彿一生的雄心壯志注定是要辜負了，有惺惺相惜的味道。

而「冠蓋滿京華，斯人獨憔悴！孰云網恢恢？將老身反累！」

翻覆。你出門時，總是搔著白髮，好似說著自己辜負了一生雄心壯志。看那京城裡滿滿的達官顯要啊，而你這樣一個了不起的人卻沒有顯達，總是憔悴的模樣。是誰說天理廣大、公道無邊的？為何你年事已高了，還要被牽連受罪？雖然你的盛名一定可以流傳千秋萬世，但到時你早已死去，只餘寂寞的魂魄，又有什麼用呢？

是他對天才李白的坎坷遭遇叫屈，另外也隱含對自己老病之身的慨歎。最後一聯「千秋萬歲名，寂寞身後事。」完全表露了對李白崇高的評價。

他認定李白的詩名一定可以流傳千古，只是連身後事也無人打理，在後世的榮耀與此身的淒涼中，寄予無限感歎。

長安人情如紙薄

杜甫生於河南鞏縣，祖籍杜陵（陝西長安），又曾在少陵住過，所以又被稱為杜少陵，還自稱杜陵布衣、少陵野老。

他的遠祖杜預是西晉名將，祖父杜審言是初唐詩人及文官，父親杜閒做過縣令、兗州司馬，可算出身世家。他因身體不好，母親又早死、父親在外為官，從小就被送到洛陽姑姑家住，所以洛陽也算是他的故鄉。

杜甫年少已展露文才，七歲便能作詩文，開口即詠鳳凰詩；十幾歲開始出入洛陽文人名士府邸，作品頗受讚賞。

二十歲起，杜甫效法司馬遷壯遊，大江南北一去十多年，遊歷了吳、越、齊、魯等地，為觀覽河山、增廣見聞，也因此走入民間，深入中低階層的生活，並認識了許多朋友。期間，他回過洛陽參加貢舉，沒有及第，落榜的青年詩人旋而繼續漫遊。

在沒有目的、沒有意圖的漫遊中，三十三歲的杜甫遇見了四十四歲的李白。這真是文學史上令人屏息震動的，兩顆耀眼明星的匯聚。

壯志難伸的李白，從錦衣玉食的宮闈中走出來；名落孫山的杜甫，巡行在貧富不均的社會中，他們都感受到一個偉大王朝即將崩壞的哀愁，這使他們相見恨晚，結為莫逆。

曾經，他們兩人相偕與高適出遊梁、宋，並和岑參、裴迪等人都有好交情，時相唱和。杜甫的人生，從讀書、漫遊期進入了下一

個階段，也是一連串試煉與變化的開始。

年輕時，子美家中經濟尚可不愁，但家道慢慢中落。他自東京洛陽到西京長安，懷抱著文學才華和政治理想尋求仕進時，已三十五歲了。

隔年再次應試，當時許多文人也一起應考，卻被奸相李林甫一手掌控，全數落榜，杜甫便展開困居長安十多年的歲月。

為了一家生計，他向現實低頭，除了上街賣藥賺錢，還到處向達官貴人獻詩、獻賦，希望獲得青睞與提拔，謀個一官半職，但這些求援都沒有效果。他不僅無法實現經世濟民的理想，漸漸的，連基本生活都有了困難。

始終只能騎著一頭瘦驢奔波的他，看盡世態炎涼，寫下著名的〈奉贈韋左丞丈二十二韻〉。

他說自己「讀書破萬卷，下筆如有神。」懷著「致君堯舜上，再使風俗淳。」的大志，不料文采無用、理想遭到冷落，「朝扣富兒門，暮隨肥馬塵，殘杯與冷炙，到處潛悲辛。」他過著陪權貴們詩酒宴遊，卻未被以禮相待的日子，而且連生活都益發貧困，便與

貧交行

唐・杜甫

翻手作雲覆手雨，
紛紛輕薄何須數。
君不見管鮑貧時交，
此道今人棄如土。

很多人交友的態度，如同手掌一翻轉，便能聚雨降雲，十分的反覆無常。這是多麼的令人輕蔑、不屑一顧啊！何必去細數呢？可是你沒看見嗎？像春秋時代管仲和鮑叔牙那樣傳頌千古、貧賤不離的君子之交，卻被今人棄如糞土啊！

起不如歸去的念頭。

同時期，他還有一首歌行體古詩：〈貧交行〉，更是言簡意賅的道出了人情冷暖。

〈貧交行〉前兩句是現實的冷酷，以「翻手作雲覆手雨」來形容世事無常、人情反覆，就像手掌翻轉一樣迅速。後兩句是感歎，當年鮑叔牙熱心幫助貧窮的管仲、無私的推薦他給君王的那種深厚友誼，今人已棄之如糞土了。

這首詩，杜甫引用管鮑之交，藉由古今人情對照，大嘆雪中送炭的人太少，深刻體驗了人情似紙薄的炎涼。

之後，他暫時回到洛陽，途中目睹因朝廷徵兵造成民間疾苦，作了〈兵車行〉、〈前出塞〉等詩。而長安那時下了很久的雨，米貴得吃不起，次年他就攜家前往奉先（陝西蒲城縣），安置了妻小，自己則回長安。

那年，終於獲授河西尉一職，但他不願就任這個小官職，最後才改右衛率府兵曹參軍。

這期間，杜甫用犀利而大膽的筆，記錄了社會狀況，寫了許多

批評時政、諷刺權貴的詩篇，思想深刻，直指不平，又以〈自京赴奉先縣詠懷五百字〉尤為著名。

那時安史叛軍作亂，局勢動盪不安，杜甫前往奉先探視家人。途經驪山華清宮，見鼓樂喧天，玄宗仍罔顧朝綱、醉生夢死，於是便就長安十年的感受和沿途所見，洋洋灑灑寫成五百字長篇。

詩中，他憤然指出勞碌的百姓創造了物質財富，養活的卻是剝削他們的上層階級，揭穿了「朱門酒肉臭，路有凍死骨。」的黑暗真相：有錢人家的酒肉多得吃不完，堆著發臭；路邊卻有凍餓而死、無人收拾的貧民骸骨。

社會上不斷擴大的貧富差距，讓他深感哀痛。至於詩人自身的深刻創痛則是「入門聞號咷，幼子餓已卒。」幼子因鬧饑荒沒東西吃而夭折。連自己的孩子都無法養活，做為人父，他該有多麼大的屈辱與慚愧！

家庭悲劇與國家社會的戰亂衰敗，日夜交煎著一籌莫展的詩人，愁緒堆得比終南山還要高。

有著一顆儒者之心，悲天憫人的仁者胸懷，只要想到人民的痛苦，便忘記自己的痛苦，憂國愛民，難怪杜甫被稱為「詩聖」。這首寫實長詩，不僅表現出杜甫現實主義詩作趨於成熟，更為唐朝盛世敲響了警鐘。

安史之亂，顛沛人生

翌年，玄宗天寶十五年，杜甫的長安時期告一段落，進入了流亡時期，直接而深刻影響唐朝，讓盛唐元氣大傷的安史之亂，此時最為嚴重。

叛軍六月破潼關，玄宗攜貴妃及臣子離開長安出奔四川，整個朝廷、社會完全失序，杜甫也就帶著家眷前往鄜州（陝西富縣）羌村避難。

七月，肅宗在靈武即位。他聽到消息，因為哀憐百姓，想為平亂效力，便留下妻小，一個人滿腔熱血、辛苦跋涉的投奔肅宗，不料卻於途中被叛軍俘擄到長安。

這時的長安已被安祿山攻陷，杜甫見證了唐朝由盛轉衰，也在

春望

唐・杜甫

國破山河在，城春草木深。
感時花濺淚，恨別鳥驚心。
烽火連三月，家書抵萬金。
白頭搔更短，渾欲不勝簪。

國家已經殘破不堪，山川卻依然如故，長安城裡，到了春天草木都榮發茂密了。似乎感染了時局的不幸，花朵溼潤得像在流淚；彷彿也感受到離別的驚恐，鳥兒皆振翅高飛遠逸。戰爭已經持續了三個月，家中的書信無比珍貴卻又不可得。愈煩惱愈忍不住搔抓我的滿頭白髮，頭髮變得短少，簡直連髮簪也簪不住了啊。

八個月憤恨的囚居生活中，親眼見到戰事下長安的慘況，於是更專注於創作，包括七言長篇〈哀江頭〉，都是詠述當時的事。

他描述百姓和青年士兵死傷慘重、民不聊生；也寫玄宗和楊貴妃以前遊幸的曲江，已荒蕪一片。他追想繁華昇平的昔日，對照如今的殘破不堪，並兼以抒發感懷，表達對國家和故君的忠心。

「人生有情淚霑臆，江水江花豈終極？」人非草木，觸景能傷情，淚水往往沾溼胸臆；曲江流淌的水與花草，如無盡的哀思，哪裡有盡頭呢？少陵野老不禁吞聲而哭。這和另一首〈春望〉一樣，都是悲傷家國的詩篇。

〈春望〉詩中最特別的就是以自然與人情作為映照。首聯寫的是客觀的狀態，國家被攻破了，但是河山卻無動於衷，春天蒞臨的時候，花草樹木也依次發芽成長，欣欣向榮，好像什麼事也沒有發生。到了頷聯則寄予詩人無限的深情、主觀的投射。

從他的眼中看來，花和鳥都能為國破的悲哀同感同哭，這就是最具體的「移情作用」了。花鳥草木都是無情的，是詩人的濃厚情感讓這些無情之物，化為有情之思，進而動人肺腑。

律詩的格式

律詩共有八句，每兩句為一聯。一、二句合稱「首聯」，三、四句合稱「頷聯」，五、六句合稱「頸聯」，七、八句合稱「尾聯」。「頷聯」與「頸聯」需兩兩對仗，成為律詩的藝術格式。

月夜

唐・杜甫

今夜鄜州月，閨中只獨看。
遙憐小兒女，未解憶長安。
香霧雲鬟溼，清輝玉臂寒。
何時倚虛幌，雙照淚痕乾。

在這首五言律詩中，頷聯與頸聯的對仗，也是令人驚喜的。像是「感時」對的是「恨別」；「花濺淚」對的是「鳥驚心」；「烽火」對的是「家書」；「連三月」對的是「抵萬金」，詞性相對，既工整又自然，真的是達到出凡入聖的地步了。

杜甫寫詩記錄，詩作因描寫了許多安史之亂前後的國家社會狀況，還有百姓的苦難及他親身的遭遇，讓後代能輕易了解當時的唐朝，所以又被稱為「詩史」，是中國文學史上最偉大的現實主義詩人。

其實他不只寫史，我們還可以從其詩作中，讀到頗為完整的個人生活記錄，了解他每一時期的境況和感情。這種寫作手法，奠定了後來生活詩歌的基礎，使得之後的白居易、韋莊，和宋朝的蘇軾等人，都效法杜甫，將生活、事件與觀點全寫進了詩裡。

而被俘擄受困期間，杜甫有一首五言律詩〈月夜〉，便是思念尚於鄜州暫住的家小，尤其是對妻子的深情之作。

題目雖為〈月夜〉，重點卻是懷人；而且他明明在長安城看月亮，首句寫的卻是「今夜鄜州月」，便是想像看見了妻子也正在望

今晚鄜州的月亮，想必只有閨中的妻子獨自欣賞吧。我心疼在遠方的子女，但年幼的他們，還不懂得想念流落在長安的父親。我彷彿看見妻子剛沐浴梳洗完，美麗的鬢髮如雲霧一般，還散發著溼漉的香氣；手臂被月光籠罩，顯得白皙而冰冷。不知何時才能再度團圓相聚？那時，我們一定要再次倚窗賞月，一起讓月光照乾我倆分離這段時間的眼淚。

月，當然也看見了她的孤單。「香霧雲鬟溼，清輝玉臂寒。」用這樣美麗的比喻來形容女人，是杜詩中極少見的。結尾則回到對團圓的渴求：到時一定要一起站在月光下，讓月光晒乾夫妻倆思念與欣喜的眼淚。

全詩寫法曲折，運用了修辭的「懸想示現法」，意即把「想像」的事情描述得好似就在眼前一樣，以妻子對著月亮想念他、期待團聚，來表達出他懷念妻子的深切。情感真摯，為杜詩罕見的浪漫名篇。

在長安過了八個月的痛苦生活，眼見百姓於水深火熱中，杜甫一心想要突圍，終於冒險逃脫，只穿著「麻鞋」，狼狽不堪的見到了天子肅宗。肅宗大為感動，遂授予他左拾遺的官職，性質類同諫官，後世才會又稱呼他杜拾遺。

然而，多苦多難的杜甫，隔一個月便因忠言直諫，上疏為宰相房琯說項而獲罪。不久長安收復，肅宗回京，因房琯事件被貶官到華州的他，歸洛陽，再返回華州。

途中，遇到了隱居的老友衛八處士，寫下〈贈衛八處士〉，其

中名句有：「人生不相見，動如參與商，今夕復何夕？共此燈燭光。」、「少壯能幾時？鬢髮各已蒼。」、「明日隔山岳，世事兩茫茫。」等，抒發了聚少離多和世事滄桑的慨歎，全詩字詞平白，卻自然感人。

而他經新安、石壕、潼關等地，親眼看見戰役失序、人民失親的社會亂象，痛心之餘，又以長篇敘事詩做了非常忠實的記錄。

這些不朽的作品就是〈新安吏〉、〈石壕吏〉、〈潼關吏〉、〈新婚別〉、〈垂老別〉、〈無家別〉，簡稱「三吏」及「三別」。

他將戰亂中所見的黑暗及民不聊生的狀況，透過縣吏、老翁、老婦、新娘、征夫等人的真實言行，淋漓盡致描繪了出來。於是我們看見了人民的苦難，也體會了詩聖對這些下層社會同胞寄予的深深同情，更對官吏迫害及奴役百姓感到深惡痛絕。他也表達了反戰思想，都是時代創舉。

杜詩的語言和結構富於變化，兼備眾體、手法多元。像「三吏、三別」這種新題樂府，展現了憂國憂民的思想情感，亦是現實主義詩歌的傑作，很有歷史及藝術價值，對後來元稹、白居易的「新樂府運動」，更產生了積極的影響。

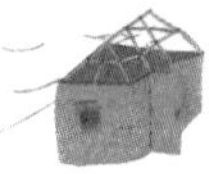

草堂歲月，一行白鷺上青天

隨著社會局勢不定及仕途多阻礙，杜甫的人生是坎坷、動盪、漂泊的。

寫作「三吏」、「三別」半年後，關中出現大饑荒，懷才不遇的他感到灰心與無力，便棄官輾轉到了四川，開始了生命最後一個階段——更加無盡的漂泊。

他舉家在成都浣花溪畔築起茅屋，取名「草堂」，終於有了棲身之處。那時已是半百年紀了，生活用度只能仰賴親戚朋友援助。杜甫生命最後的十年，多半是在漂泊、流浪中度過，只有這加總起來短短幾年的草堂歲月，是他最為安定閒適的時光。儘管，貧窮對於他，始終是揮之不去的夢魘。

絕句四首 其三　唐・杜甫

兩箇黃鸝鳴翠柳，
一行白鷺上青天。
窗含西嶺千秋雪，
門泊東吳萬里船。

兩隻黃鸝鳥，在碧柳間歌唱；一行白鷺鷥，於青空中飛翔。推窗遠望，我的窗戶嵌進了西嶺千年不化的皚皚白雪；而大門外河邊停泊的，可是從萬里遠的東吳駛來的船。

在成都任官的好友嚴武雪中送炭，是資助他最多的。嚴武後來被調回朝廷，杜甫失了依靠，又遷移到梓州；隔年安史之亂全部平定，嚴武再為成都尹，兼節度使，杜甫便攜家歸返成都浣花溪畔。接著，嚴武推薦他當節度參謀，並薦舉任檢校工部員外郎，故後世又稱他為杜工部，有《杜工部集》。

草堂雖然簡陋，卻是杜甫人生裡一段特別的歲月。他大量創作，所以後人稱其詩集為《草堂詩集》。

他在柳樹環繞的浣花溪畔，創作了許多有別於沉鬱風格的寫景詩：「楊柳枝枝弱，枇杷樹樹香。」、「自去自來梁上燕，相親相近水中鷗。」這些詩句，用的是一種平和恬淡的心情，描寫美麗的草堂風光。

而〈絕句〉四首其三，更是佳作。

安史之亂平定，嚴武回任成都，杜甫也回到了草堂，心情十分喜悅，於是隨手寫下即景小詩。不同於〈聞官軍收河南河北〉的快意，這詩屬於安適的喜樂。因是隨興而起的隨筆，便不擬題，只以「絕句」稱之。

全詩兩聯都對仗，工整又精美，「兩箇黃鸝鳴翠柳，一行白鷺上青天。」更是萬世流傳的佳句，迄今仍為人們所吟詠。尤其使用四個鮮明的顏色字，加上黃鸝鳥鳴叫和白鷺鷥飛翔的聲音與動作，真的是「有聲有色」。而且先寫近景，再拉開遠景，彷如一幅生動的白描春天風景畫。後兩句則由遠而近，窗外遠遠的西嶺就是雪嶺，積雪幾乎不消，「含」字更用得巧妙，彷彿此景是直接嵌在窗框中的一幅畫。

而他曾東遊吳、越，知道停在門前水邊的船隻來自相當遙遠的東吳，正因亂事已平，水路交通才得以恢復。杜甫在這裡用了形容時間的「千秋」和形容空間的「萬里」，十個字就讓人感受到天地之間的久長與遼闊，畫面寧靜而磅礡，可見詩聖即便清貧，也可思及千載、視達萬里，氣度真是開曠。

杜子美的草堂歲月，還有一首極受讚賞的七律，就是流露恬淡生活氣息的〈客至〉。

在成都浣花溪畔，除了幾個知己老友，他很少跟人交往，陪伴他的，只有好山好水，還有一群鷗鳥，當然那也暗指他的隱士知己。

客至（喜崔明府相過）

唐・杜甫

舍南舍北皆春水，
但見群鷗日日來。
花徑不曾緣客掃，
蓬門今始為君開。
盤飧市遠無兼味，
樽酒家貧只舊醅。
肯與鄰翁相對飲？
隔籬呼取盡餘杯。

> 我家前後都圍繞著春天明媚的溪水，還可以看到成群的鷗鳥每天飛來飛去。門前長滿了花草的小徑，從沒有因為客人蒞臨而打掃過；為了歡迎你，今天我把簡陋的草門打開了。我家離市場太遠，沒有大魚大肉，只有一種小菜招待你；也由於家窮，所以只能拿出去年釀的粗酒來款待。而你願不願和鄰居老翁對酒盡歡呢？如果願意的話，我就隔著籬笆叫他過來，大家一起乾杯，喝光這些酒吧！

有一天，朋友來了，他喜出望外，特地打開貧陋的柴門以示歡迎。「花徑不曾緣客掃，蓬門今始為君開。」又一千古名句，而且對仗對得十分完美。

這「蓬門」，是「借代法」，代替「貧窮人家」；而前面提到的「朱門」，是代替「富貴人家」。我們窮哈哈的杜先生，只能拿出一碟小菜和沒有過濾的去年釀的粗酒來待客，有力不從心的歉疚，卻仍可看出真心想盡地主之誼的熱情。他甚至還問客人：想不想跟隔籬的老翁一起盡興？願意的話，大夥兒就一起把剩下的酒都乾了吧！

話家常一般的語言，把人在貧窮中仍然可與知交歡敘暢飲的情形，寫得很有人情味，很有畫面感，證明了不一定要多有錢才能「分享」，也不是富人才有辦法盛情待客。

直到現在，我們仍能聽見草堂中傳來歡快的笑聲，提醒著我們，就算是在貧困的時候，也別忘記享受快樂。

秋風秋雨，追逐飛走的屋頂

在浣花溪畔安頓了妻兒，生活雖仍清苦，起碼享受了一段與先前流浪大不相同的田園平靜生活。

然而，秋天一場大風雨使得草堂嚴重受損，床頭雨腳如麻，讓杜甫深受打擊，徹夜難眠，便有感而發，

茅屋為秋風所破歌

唐・杜甫

八月秋高風怒號，
卷我屋上三重茅。
茅飛渡江灑江郊，
高者掛罥長林梢，
下者飄轉沉塘坳。
南村群童欺我老無力，
忍能對面為盜賊。
公然抱茅入竹去，
唇焦口燥呼不得。

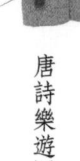

歸來倚杖自歎息。
俄頃風定雲墨色，
秋天漠漠向昏黑。
布衾多年冷似鐵，
嬌兒惡臥踏裡裂。
牀頭屋漏無乾處，
雨腳如麻未斷絕。
自經喪亂少睡眠，
長夜霑溼何由徹！
安得廣廈千萬間，
大庇天下寒士俱歡顏，
風雨不動安如山。
嗚呼！
何時眼前突兀見此屋，
吾廬獨破受凍死亦足。

八月秋高氣爽的日子裡，突然狂風怒吼，捲走了我屋頂上的三層茅草。

寫下了這首感動幾億人的歌行體七言古詩〈茅屋為秋風所破歌〉。

那時一家人才住到草屋幾個月，便眼睜睜看著呼嘯的秋風把屋頂的茅草一層一層捲得好遠。他跑出去搶救，沒想到連村童都欺負他年老，當

茅草隨風飛過江，散落在對岸江邊的周圍。有些茅草高高懸掛在茂密的樹梢，有些則飄沉進池塘或窪地了。南村一群孩童欺負我年老無力，竟忍心當著我的面，像盜賊一樣偷走那些茅草，抱著跑進竹林裡！我喊得口乾舌燥也叫不住，只好回來拄著拐杖獨自歎息。不久，風停了，卻湧出像墨一般黑的烏雲，使得深秋的天空一片昏暗。我家的布被已使用多年，像鐵一樣冷又硬；孩子夜裡睡得不安穩，把被子都踢到破裂了。而屋子漏雨，就連床頭都沒有一處是乾的；雨更像亂麻般綿密的打下，未曾停頓。自從安史之亂以來，我憂國、漂泊，很

面抱起他的茅草躲到竹林裡去。他又累又傷心，而屋破又逢連夜雨，雨水從缺草的屋頂漏下，情況更加淒慘了。床頭沒有一點乾的地方，布被也不暖和，孩子都睡不安穩。安史之亂以來的種種，已使詩人長期失眠，現在更讓他徹夜難眠、倍覺寒夜漫長。

　而老弱窮困的他身在受災的淒風苦雨中，卻表現了博愛胸懷，由本身的痛苦推想到別人的痛苦、社會

少睡得好，現在更不知怎麼度過這潮溼不堪的長夜。如何才能得到寬廣高大的房屋，來收容、庇護天下貧寒的百姓呀！使他們都能展開笑顏，有遮風避雨的地方，安穩如山的過日子。唉！什麼時候我眼前才會突然出現這些房屋？如能達成此願，即使只有我的茅屋毀壞破敗，或我受凍而死，都心甘情願啊！

的痛苦，於是許下心願：「安得廣廈千萬間，大庇天下寒士俱歡顏，風雨不動安如山。」

使用了「誇飾」修辭法，意在表達極其深切的願望，並不是真的要蓋房屋「千萬間」。他希望有個穩固的大房子來收容貧寒百姓，使他們能夠遮風擋雨，安穩過日子，免於遭受與他相同的苦況，乃至於他家毀壞或自己凍死也心甘情願、在所不惜，充分表現了偉大的仁愛胸懷和高尚人格。

這種可貴的思想，正是憂國憂民的表現，是全詩的深意。詩聖之所以為詩聖，由此可見。

流轉・流浪・流離

儘管經過好友嚴武薦舉任檢校工部員外郎，爾後，杜甫還是因為多病和不適應官場文化而辭了官，繼續過著隱逸、貧窮的草堂生活。

這樣的日子過了不久，先是詩人好友高適病逝，連一路以來情義相助的嚴武，也不幸於四十歲壯年病死了。此時已五十五歲、貧病交迫的杜甫，頓失依靠，於是舉家東下夔州，再度漂泊，輾轉流浪，想尋找生命的出口。

杜甫用寫作來記錄人生每個時期，以及國家社會景況，並抒發志向與感懷，就連在離開草堂後的五年流離坎坷生活中，也是一樣。此時期的作品包括〈旅夜書懷〉、〈秋興〉八首、〈詠懷古跡〉五首等，除了抒發心情境遇，也顯示了時代變遷。因為就在這時，漸衰的唐朝已步入中唐階段。

詩人流落到四川白帝城附近的夔州時，因病而住下，卻是一輩子生活最苦的時候。

流浪和旅行不同，旅行是有家可以回，流浪則滿是無依與疲憊，尤其是長年漂泊、居無定所。杜甫這時已窮困潦倒，加上病體的痛苦，讓他心情萬分愁悶，所以寫下名篇〈登高〉，用登高所見的蒼闊畫面：「無邊落木蕭蕭下，不盡長江滾滾來。」把綿延不絕的感傷形象化。形容哀思、愁苦排山倒海而來，內心震盪翻湧，不是昂揚，而是悲抑。

在生命的最後一年，漂泊流轉中，杜甫到了荊、湘一帶。暮春，他巧遇故人，不同於相逢的欣喜，反而感慨萬千的寫了〈江南逢李龜年〉。

江南逢李龜年

唐・杜甫

岐王宅裡尋常見，
崔九堂前幾度聞。
正是江南好風景，
落花時節又逢君。

許多年前，我時常在岐王府裡看你的演出，也有好幾次在崔九堂前聽過你的歌聲。沒想到多年以後，在這風景美好的江南，春日將盡、花兒已落的時節，又與你重逢了，只是我們都已繁華不再。

這江南指潭州，今天的湖南長沙，遠離京師，也是詩人捉襟見肘、窮途潦倒到極點的地方。而李龜年，是盛唐開元、天寶年間，長安炙手可熱的音樂家，只有王公貴族才能見得到他。

杜甫少時才華卓越，在洛陽的姑母家住時，與文人名士常相來往，還受到皇室岐王李範和殿中監崔滌（崔九）喜愛，得以在兩人的府邸多次欣賞到李龜年的歌唱藝術。

此詩前兩句，杜甫回憶當年在岐王宅邸和崔九府第聽李龜年唱歌的情景。而後兩句，思緒轉到眼前，幾十年後兩人在江南重逢，有喜悅，有驚歎，更多的是感慨。

具有時代標記的藝術家，晚年卻流落江南賣藝為生，潦倒落魄，這不僅是個人的命運，更說明了開元盛世一去不回。晚春的落花，正是故人和自己此時的生命境遇，充滿對於人生坎坷變化的無奈感。

這些看似平淡簡單的字句，卻有著複雜糾結的情懷，富含情韻與傷感，令人感到滄桑淒涼。不僅傳達個人的盛時已過，也揭舉了大環境的生活，被公認是杜甫絕句中，最有感情、最富蘊義的一首。

短短二十八字，竟包含了整個時代，真是大師手筆。

這首詩作於西元七七〇年暮春，而那年冬天，詩人便孤獨的病死於潭州一艘小船上，得年五十九歲。漂浮的人生，就此沉下。

光華璀璨，身影萬丈長

杜甫胸懷華采、抱負與悲憫的心，四處流轉，飄蕩。儘管人生漂泊不安、愁苦不堪、貧病不斷，還飽經多次戰火，但他熱愛生活、關心社會，以敏銳的觀察力和深度的感受力來刻苦創作，始終維持「憂國憂民」這條主線，具豐富的社會內容及強烈的時代色彩，絕對是受敬仰的主因。

明末清初的怪才金聖歎把《莊子》、《離騷》、《史記》、《杜詩》、《水滸傳》、《西廂記》評為「天下六才子書」；全中國有不計其數的杜甫紀念堂，世界和平理事會將把他定為世界文化名人來紀念，足見對後世的影響深遠。

這些在在說明了，經濟生活至為單薄的杜甫，在文學生活上卻極度飽滿，擁有十分傑出與多元的藝術成就。他的文學生命與思想價值，可謂光芒萬丈，在中國文學史上占有崇高地位。

杜甫的詩，即便於二十一世紀的今天來讀，仍然不退流行，仍然值得我們深深品味。而他天涯漂泊、悲天憫人的身影，更是存活於一詩一句中，散發著璀璨的光華，永不磨滅。

座右銘：大庇天下寒士俱歡顏。

杜甫祈願讓天下貧窮人士都能有個遮風避雨、安身立命的處所，都能展露笑容。我們雖不是詩聖，也要有如此憫人、助人的胸懷，甚至付諸行動。倘若有人受我們的影響，尤其是好的影響，那我們這一生就足夠了，生命就是永恆的了。

主題四 他的屋頂飛走了——杜甫

創作模式啟動

模式一、〈客至〉的結構典範

題目為「客至」，寫的就是有關客人來訪的事情。

一、二句首聯，先描述自己居住的環境，還隱含平常往來的是怎樣的人。三、四句頷聯，空間由大而小、由外而內，轉寫屋院情景，還有「迎客」的心情。五、六句頸聯，則開始寫「待客」，都是親切實在的家常話，不浮誇、不造作。而七、八句尾聯有了轉折，主客都是豪邁、愛分享的性情中人，這種歡聚最為盡興啊！除了空間，也兼顧迎客、待客的時間順序，銜接得極為自然。此詩優異的結構，值得借鏡。

模式二、「兩箇黃鸝鳴翠柳，一行白鷺上青天。」的摹寫技巧

〈絕句〉四首其三的每一句，都有不同的景物，且兩兩對比，組合起來便是一幅完整的畫面。

而「兩箇黃鸝鳴翠柳，一行白鷺上青天。」更為摹寫之最。除了帶來寬闊的視野，詩人一連用了黃、翠、白、青四種顏色；而「鳴」是聲音，「上」是動作；黃鸝和白鷺、柳和天，則是物與景。

短短十個字，有動有靜、有近有遠，且色彩鮮明而生動，透過視覺、聽覺等感官，使人具體產生深刻印象及感覺。

這便是摹寫的技巧，在寫作時適當運用，可讓人感同身受，引起共鳴。

模式三、「感時花濺淚，恨別鳥驚心。」的移情與轉化

在創作時，有些人可以讓無情的物件也飽含情感，彷彿訴說著無限的情意，明明是沒有生命的東西，經過了「移情作用」的點石成金，瞬間綻放出光芒。這在修辭學上，就是所謂的「轉化」，最常使用的是「擬人法」。

杜甫將自己的情感投射到花和鳥的身上，於是，被露珠沾溼的花朵，看起來竟像是在哭泣，好像深深明瞭國破家亡、百姓流離失散的悲哀。高高飛起的鳥雀，也像是戰爭中飽受死亡飢餓威脅的百姓，那樣驚惶恐懼。

運用同理心與想像力，便能使筆下的物件都閃閃發光，也讓這個世界充滿豐沛的情感。

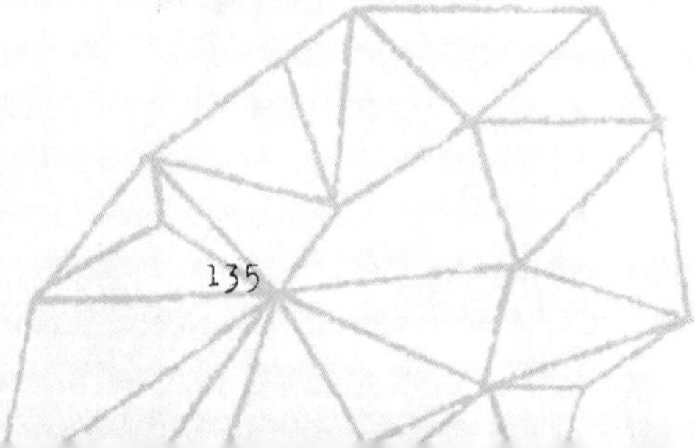

主題五

胸中棲著一朵雲——田園詩

山水田園好朋友

我們在賞讀唐詩時，可以發現山、海、雲、樹等景物充盈在詩人的篇章裡，不僅慰藉了他們的生活，表達了心志，也讓後人如觀賞優美的短片一樣，得以穿越時空，身歷其境，體驗豐富的真實感。如此風格鮮明的派別，稱為「山水田園派」，代表人物便是王維和孟浩然。

他們兩人的詩融合山水、田園、寫景、抒情，筆下的天地豐富多彩，情調宜人，而且文字自然單純，還有著簡樸的生活氣息，意境高遠，具獨特的藝術成就。他們不僅在盛唐詩壇開創了吟詠自然山水風光的田園詩，對後代詩人有著重大影響，並且結為好友，情感深厚，兩相齊名，被大家合稱為「王孟」。

唐詩派別和代表人物

浪漫派：李白
社會派：杜甫、白居易、元稹、劉禹錫
田園派：王維、孟浩然、劉長卿、韋應物、柳宗元（自然派）
邊塞派：高適、岑參、王昌齡、王之渙
奇險派：韓愈、孟郊、賈島
唯美派：杜牧、李商隱、李賀

然而這兩位鍾情於大自然的好朋友，命運卻是頗有差異，在仕宦道途上確實大相逕庭。

之前介紹過唐代人的科舉，就是這科舉制度，打破了魏晉時期的門閥階級，使知識分子的地位不再是世襲，而是透過科舉考試來甄選。考上了科舉，功名隨之而來，朝廷也較能發掘人才，為國所用。但有些人考運可能不太好，或像李白那樣有點苦衷的，也無法應考，這時就有另外一種晉身之途，叫做「終南捷徑」。

那時的文人愛去終南山隱居，但不是真的閉門謝客，反而有很多交際活動。他們常作詩，也常跟當朝一些文武百官有所往來，因此名聲很容易傳出去，更會傳到皇帝耳裡，不少人後來都被延請當官。這也是一條做官的路，所以被稱為「終南捷徑」。

孟浩然跟王維的不同，就是孟浩然長時間在終南山等待做官的捷徑，然而一生都沒有等到。因為懷才不遇，便時露寂寞、傷懷之情。王維則是非常順利的先從科舉進入了仕宦之路，反而在中年之後，因一心向佛，所以蓋了「輞川別墅」，有時白天去上朝，退朝之後便回到輞川過隱居生活。

儘管如此，兩人筆下的山水田園風光，卻都描寫得那麼吸引人，難分軒輊。山，需要和海相比嗎？雲，需要和樹競爭嗎？在悠悠的人生道途上，他們思索，他們微笑，他們惺惺相惜。

誰在登高時想我

王維是個神童，出身書香門第，九歲就能作很好的詩。他在音律、書法、繪畫各方面的藝術造詣都是一流的，據說還是個美男子。他受母親影響，喜愛佛教，因欽佩佛教裡的「維摩詰」菩薩，便自號摩詰，並寫了大量富含禪意的詩，晚年更是潛心向佛，因此又被稱為「詩佛」。

王維中、晚年長期過著半官半隱的生活，寄情於佛法與田園。存世的四百餘首詩當中，以描繪山水田園自然風光，以及詠頌隱居生活的詩篇，最能代表他的創作特色。

王維的名作〈九月九日憶山東兄弟〉，是為人所熟知的重陽詩、懷鄉詩和手足詩，這還只是他十七歲時的作品。一年一度的重九佳

九月九日憶山東兄弟

唐．王維

獨在異鄉為異客，
每逢佳節倍思親。
遙知兄弟登高處，
遍插茱萸少一人。

獨自在異鄉漂泊的遊子，每到闔家團聚的節日，就特別思念親人。我想遙遠家鄉的兄弟們，肯定會在重陽這一天，依習俗登高、喝菊花酒，全部的人也都佩插茱萸以避邪，但唯獨少了我一人呀！

節，獨自在異鄉長安漂泊的王維，觸景生情，表露了對親人的加倍思念。

在看不見的地方，他遙遠的家鄉，兄弟們正在做什麼呢？他遙想他們肯定會在重陽登高，頭上都插著避邪的茱萸，可是一眼望去就少了一個人。王維心想，大家會因為他無法回鄉團聚，面對多出來的茱萸而感到悲傷吧。

後兩句其實寫的便是兄弟之情，寫自己、也寫對方，具有情感的鋪陳。他雖不在現場，但可以想像對方在做什麼，以及他們對自己的思念。

這是很特別的寫作技巧，在修辭法中叫「示現」，且是懸想的示現。王維當然無法確知兄弟是否想念他，卻因為他自己對兄弟的思念，於是理所當然的寫出了自己也是被思念的。

這首詩背後，含著說不出的情意。「每逢佳節倍思親」道出了所有異鄉人共同的心聲，只有親身經歷過，才能深刻體會。

抒情高手栽紅豆

雜詩　三首其二　唐・王維

君自故鄉來，應知故鄉事。
來日綺窗前，寒梅著花未？

從我故鄉來的您，一定知道故鄉的大小事吧！請告訴我，您離開故鄉來這兒的那天，我家窗前那株寒梅是不是已經開花了？

王維更擅長五言絕句。短短二十個字，卻必須傳達所有意思，需要高度的技巧。

王維是個抒情高手，他曾寫過懷鄉的〈雜詩〉共三首，第二首的名句「君自故鄉來，應知故鄉事。」毫不避忌的重複使用了「故鄉」兩個字，顯現出對故鄉的無限依戀。

他遇見從故鄉來的人，心中五味雜陳，忙先問對方：對故鄉應該很了解吧？由此可知他多麼急切想要知道家鄉的事。但他想問什麼呢？故鄉可以懷念的東西太多，可以問家人，或問故鄉有什麼改變等等，他卻不知從何問起，只好問：當你啟程來這裡的時候，故鄉那個很美麗的花窗前，我家栽種的寒梅是不是已經開花了？

相思

唐・王維

紅豆生南國，春來發幾枝，
勸君多採擷，此物最相思。

紅豆生長於南方，每逢新春，紅豆樹又不知要長出多少新枝、新葉了呢？希望在南方的你多多採摘、珍藏，因為這紅豆，最能表寄相思之情。

如此的白描手法，記錄了思鄉遊子千頭萬緒的情感。家鄉的山川、景物、親人他都不問，卻只眷懷窗前的梅花，將繁複的思念單純化，落在梅花身上。我們也就領會了，連對梅花都這般依依不捨，那麼對於親人的思念該有多麼深厚呀。

這是從小來寫大，真正想寫的其實是窗後的人。千言萬語道不盡，只好用小事為託，在細微處揮灑了無窮的餘韻，讓天下同此心者，都能會心一笑。

如此引發讀者情感共鳴的，還有最知名的〈相思〉。

這首看似簡單的詩可不簡單，王維以一種產於南方、朱紅圓潤、形如豌豆仁的紅豆來起興。這紅豆又名「相思子」，南方人常用來鑲嵌飾物，或表相思之情。而南方溫暖多雨，紅豆一到春天就愈長愈大、愈發愈多，詩人要講的是自己的相思愈盛，宛如紅豆一般。他還請朋友一定要多採一點，因為「此物最相思」。

言語單純，卻富於想像。起先像在講南國的一種植物，最後才點出「相思」這件事，一語雙關，既切合題旨，又關乎情思，十分含蓄動人。

值得注意的是，紅豆象徵相思，現代也都用於男女間的情愛，但在唐朝時卻也包括朋友間的友愛，〈相思〉就屬於這種。此詩一題為〈江上贈李龜年〉，也就是與杜甫晚年在江南相遇的那位音樂家李龜年。

王維懷想友人，以小小的紅豆寄託了深深的關心與思念，物輕情重，借詠物而寄相思，柔美和諧，足以令讀詩的人悠悠懷想起掛念的人，堪稱絕句的上乘之作。

〈雜詩〉與〈相思〉有異曲同工之妙。一首以「梅花」象徵思鄉；一首以「紅豆」象徵相思。梅花在窗前吐露著芬芳，紅豆在江南蓬勃的滋長，王維心中的情意，再也無法隱藏。

乾杯吧，一腔的俠情

王維九歲就離家到長安城去，為科舉考試做準備，所以他才會說自己「獨在異鄉為異客」。二十一歲時，他考中進士，據說還是狀元，便開始踏上了仕宦之途。

他年輕時已多

才多藝，除了賦詩，還精通音樂、擅長繪畫，外貌更是俊朗，所以在上層貴族社會中深受歡迎，連當代權傾一時的公主都極為欣賞他，無疑是他的「粉絲」啊。

年輕時的王維，有著積極進取的人生觀，對仕途與政治充滿抱負，就像盛唐時期瀰漫於社會的樂觀氣氛。他寫了一組詩叫〈少年行〉，充滿了豪情俠氣，以及積極的行動力。〈少年行〉共有四首，我們先看第一首。

詩中陝西「新豐」這地方，在古代以出產美酒聞名，釀好之後直接送進宮中給皇帝飲用，稱為「貢酒」，可說是天下最好的酒。

唐朝詩人寫詩、論詩必然飲酒助興，俠士也是如此，而新豐的貢酒特別昂貴，一斗酒值十千錢，仍要豪氣的喝。他們重視「俠」的精神，聚集在一起的這些重義氣、能救困扶危的遊俠，多半都還很年輕。而咸陽本是秦代首都，向來是出英雄豪俠的地方。

美酒配俠少，正如名馬、寶劍配英雄，少年遊俠對於意氣相投、一見如故的人，無論如何一定要舉杯痛飲才過癮。俠客的名馬就如同現代人的名車，價格不斐，然而遇見意氣相投的同路人，什麼也

少年行

唐・王維

新豐美酒斗十千，
咸陽遊俠多少年。
相逢意氣為君飲，
繫馬高樓垂柳邊。

新豐所出產的酒名聞天下，美酒價高也要盡情喝。在長安城裡，來來往往的遊俠多半是年輕人，只要大家意氣相投、一見如故，都能痛快的同桌共飲，就暫且將馬兒繫在高樓邊的柳樹下吧。

顧不得了，且將馬兒隨意繫在酒樓邊的柳樹下，與兄弟乾杯為先呀！

本詩展現了率性灑脫的英姿、意氣風發的澎湃，以及惺惺相惜的熱情，活脫脫是王維遊俠時代的寫照。

至於〈少年行〉的後三首，分別敘述少年從軍報國的心志、在戰場上奮勇殺敵的氣概，和建功後沒有得到獎賞的遭遇。王維筆下的少年遊俠，慷慨而不悲涼，非但沒有懷憂喪志，反而充滿了青春的理想浪漫色彩，遊俠的形象躍然紙上。

而這就是恢弘壯闊、富雄心壯志與無比自信的——盛唐精神。

如果在雪中，一株芭蕉

王維具有多方才華，是音樂家，也是詩人，更是歷史上重要的畫家。

唐朝當時的畫壇盟主為李思訓父子，他們的風格是用色鮮豔，細密的鉤勒線條，使畫面顯得金碧輝煌，後人尊二人為「北宗之祖」。王維卻獨創清淡、渲染的水墨山水畫，是大家公認的水墨畫鼻祖，影響後世深遠，有「文章冠世，畫絕千古。」的美譽，後人尊他為「南宗之祖」。

北宋文學家蘇軾讚美他：「味摩詰之詩，詩中有畫；觀摩詰之畫，畫中有詩。」蘇東坡本身也是書畫家，所以看畫、看詩的眼光，與王維「有志一同」。可惜王維的畫作多半已經佚失，今日所見乃

為仿作。

王維的山水畫多以雪景為題材，花卉和人物畫也頗傑出。但他是個有創意、有風格的藝術家，不理會時節，不同季節的花也可以畫在一起，最著名的是他畫過一幅令當時的人難以想像的〈雪中芭蕉圖〉。

我們知道芭蕉生長在溫暖的南方，雪則會落在寒冷的北方，可是王維把它們畫在一塊兒，而且用水墨的方式畫，簡練奔放，很空靈，極具美感。畫成之後，立刻震驚整個畫壇，明明是實際上所無，卻又美得令人難以拒絕。這跟寫實派不一樣，畫家王維追求的是一種意境，一種美的探索，一種詩的況味。

所以王維的詩和畫是分不開的，難怪蘇東坡說他「詩中有畫，畫中有詩。」他所描繪的景物，是詩也好，是畫也好，全都融合為一體，情感也充滿在其中。〈竹里館〉這首名作，就是一個例子。

幽篁、深林、明月，都是自然之景；獨坐、彈琴、長嘯，則是人的動作。這些意象分開來看，平淡無奇；但融在一個畫面中，卻美好而有意境。

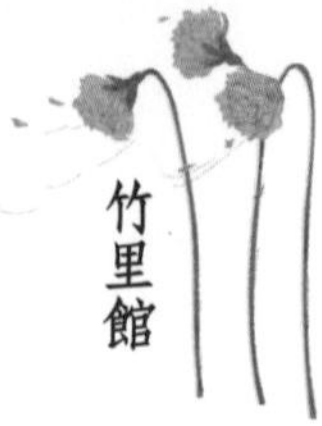

竹里館

唐・王維

獨坐幽篁裡，彈琴復長嘯。
深林人不知，明月來相照。

我一個人坐在幽深的竹林裡，彈著琴，又長聲呼嘯。在夜深的林子裡，沒有人知道我，我並不寂寞，只要山間明月時時照拂著我，這樣就足夠。

鳥鳴澗

唐・王維

人閒桂花落，夜靜春山空。
月出驚山鳥，時鳴春澗中。

我閒坐在林中，看見了桂花輕輕飄落，春天的山夜顯得一片空寂寧靜。突然間，明亮的月光驚醒了沉睡的山鳥，使牠們以為天亮了，不時在春天的山澗中鳴叫著。

他在林中獨坐，不急著找人陪伴，自己彈琴、高聲吟嘯，享受孤單，一點都不覺得寂寞。而明月恰似一個知音，從雲層後探出頭來，溫柔的籠罩住詩人。

王維並不在世間尋求他人的理解，因此他選擇在幽靜的竹林，選擇了安靜的獨處，雖然是一種「人不知」的境遇，卻與自然達到了更和諧的交流。

詩中的自得其樂與閒適悠然、平淡清新，蘊含著特殊的藝術魅力，美得像一幅畫，也帶著我們體會了「天人合一」的至高境界。

另一首〈鳥鳴澗〉，場景也是夜晚，地點是一座春天的山，山中無人，十分幽靜，所以稱為「空山」。有的桂花是在春天開放的，細小的花兒悄悄落下，但心中閒適的人，連這樣微弱的聲音也聽得見。

春天的夜山，是如此空曠、幽靜。此時他卻筆鋒一轉，說因為月光太亮，把沉睡的鳥兒照醒了，被驚擾的鳥兒以為天亮了，鳴叫起來，於是一處傳過一處，在春夜的山谷、溪澗中，不時迴盪著。

全詩描寫春夜的寧靜，如詩如畫的春山之夜，有閒適自在的人；

有飄落的桂花；靜靜的山林佇立；皎潔的月光照射，畫龍點睛的「驚」字，帶領我們進入山鳥飛起、鳴叫於澗流的景致，整幅春山夜色圖活起來了，成了3D立體動畫。

在泉上見到月光

在唐朝大詩人中，王維算仕途順遂。但幾度政壇的得意與失意，讓他漸漸對當時的官場感到厭倦，卻又無法決然離去。加上他三十歲左右喪妻，不曾再娶，又信奉佛教，青年時更曾居住山林，頗好田園生活，於是四十歲起，便開始了亦官亦隱的生活。

不久，提拔他的宰相張九齡、好友孟浩然相繼去世，他感傷日增。年過半百後，已是楊貴妃得寵、朝廷小人當道之時，他適時購得宋之問在藍田荒廢的別墅，精心修建，是為「輞川別業」。他與表弟及好友裴迪悠游其中，賦詩唱和，白日仍然上朝，直到安史亂軍攻陷長安，他被安祿山軟禁。

王維與裴迪在終南山輞川別業作詩唱和，以此為樂之餘，更常

輞川

在陝西藍田縣，流經終南山北麓，海拔約六百至九百公尺高，山谷綿延有二十里。地勢不算太高，但地形特殊，很多小溪注入欹湖，就像車子的輪輞一樣，故名輞川，景色非常優美。輞川有二十處奇景，像白石灘、華子崗、竹里館、鹿柴等，很多都成了王維的詩名，他還畫了精妙優美的「輞川圖」。

登山拜寺，也曾夜宿竹林石洞，聽著山泉入眠，自在悠游於山野之間。

綜觀他輞川別墅時期的詩，將山水田園詩風推上了更高的境界。其中有一首很有名的〈鹿柴〉：「空山不見人，但聞人語響。返景入深林，復照青苔上。」

鹿柴是輞川二十奇景之一，也是養鹿的地方，本詩描寫的便是鹿柴一帶傍晚時分的幽靜景色。一開頭便是看不見人的空山，但可以聽見人講話的聲音，若有似無的。而返照的日光穿透林木深處，又映照在青苔上。青苔原本生長在陰暗的地方，可是被太陽一照，好像突然間有了生命，光線照到哪裡，那裡便亮了起來。這就是王維的詩，掌握住光影的變化與移動，看見大自然悠悠的生命力。

接下來這首跟秋天有關，也是王維登峰造極的代表作，更是唐詩中的山水名篇〈山居秋暝〉。

「暝」就是黃昏，描寫他山居歲月的秋天黃昏景色。再一次以「空山」開頭，可見他住的地方真是少有人跡，十分寂靜。因為空，便顯得遼闊了。剛下過一場雨，雨停後，山裡的空氣有著花草樹木

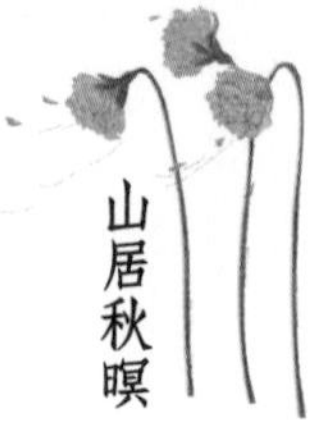

山居秋暝

唐．王維

空山新雨後，天氣晚來秋。
明月松間照，清泉石上流。
竹喧歸浣女，蓮動下漁舟。
隨意春芳歇，王孫自可留。

寂靜的空山中，剛下了一場雨，到傍晚時，天氣溼涼，增添了許多秋意。皎潔的月光從松林間映照過來，清澈的山泉，潺潺的在溪石上流淌。我走過竹林時聽見了喧鬧聲，可能是黃昏時洗衣裳的女人要回家了；又走過水邊，發現蓮花、蓮葉都搖動著，應該是捕魚的人完成了一天的工作，也準備下船回家了。儘管春天的芳草早就乾枯，但這兒的秋景很美，出遊在外的貴族子弟，不妨多做停留啊！

被雨水潤溼之後的氣味，溫度也變得涼爽了，本來沒有那麼強的秋意，經過一場雨，驀然發現秋天已經來了。在這樣的秋日傍晚，「明月松間照，清泉石上流。」這是時間的流動，從黃昏到夜晚，明月的照射，連泉水的流動也能清楚看見。

在視覺的靈動之後，詩人用聽覺寫人的活動。他聽見竹林裡的聲音，疲憊而勞動的女人，浣洗的工作結束，結伴回家的道途中，歡快的喧譁著。而他的雙眼依然保持著敏銳，看見蓮花的擺動便知道那是漁人捕獲之後，紛紛從船上下來，準備歸家。

山居的生活是這樣的規律，卻是這樣的安適愉悅。春天的花都已經落盡，隨著自然的改變而替換了季節，但這山裡還是有這麼多動人的時刻，令人流連忘返。所以王孫貴公子啊，如果喜歡，不妨在此逗留。

與其說這是一首宛如圖畫的詩，將山中景象寫得令人嚮往，不如說，這首詩主要表達的是一個「閒」字。人的心閒適了，不再被時間追趕，不再被功利操縱，才能看見天地之間極細微的變化，才

能領略不落言詮的美。

這是王維的追求，只能在田園之間發生，他的詩筆也為我們創造出這樣一個使人留戀，卻很難到達的美樂之地。

坐著遇見一朵雲

終南別業　　唐・王維

中歲頗好道，晚家南山陲。
興來每獨往，勝事空自知。
行到水窮處，坐看雲起時。
偶然值林叟，談笑無還期。

王維另一首相當知名的五言律詩〈終南別業〉，則充分表達了他喜好佛法、想離開官場，回返自然、隱居山林的心情。

「終南別業」就是他的輞川別墅。第一句他就講自己中年後喜歡修道，已不是「咸陽遊俠多少年」的歲月了。這裡的「道」，指的是佛法。第二句的南山，指終南山；「晚家」就是晚近，指的是最近的意思。

他五十多歲時，把家搬到終南山邊去了，每次心中湧起一些念頭或感動，就獨自出門。他是個不懼怕孤單的人，唯一的遺憾，是看到很美的風景或快意的事，卻只能自己感受，無法跟別人分享。這也可謂到達了萬事了然於胸的灑脫境界，唯有自己能夠心領神

中年時，我就頗喜愛佛理，晚近更隱居在終南山邊。興致一來，我便獨自漫遊，快意的事也就只有自己才能領會。我沿著水流閒步，不知不覺走到了盡頭。那就自在的席地而坐吧，可以看到腳下的雲霧升起，美麗又變化萬千。我偶爾也會碰到林中的老人家，便和他開心的談笑，談到都忘了回家。

會，卻不覺得寂寥。

接下來就是流芳萬世的名句了：「行到水窮處，坐看雲起時。」他順著水流走，走到沒有水的地方，無路可行了，一般人可能會急著找出路，突破現狀，而他卻乾脆坐下來，心平氣和的看雲從腳下慢慢升起。這自然是住在山上才會有的景象，卻也象徵著面對人世間的險阻坎坷，不見得一定要有所突破，山窮水盡之處，往往能產生另一種生機與希望。

隨著水向前走，就像是順隨著命運向前行。無路可行，也是命運，與其沮喪或躁動，不如順從命運，接受現況，或許能看見平常看不見的景象。王維的人生際遇，似乎就濃縮在這十個字中，充滿了佛理的禪意。

正是因為隨遇而安，在林間遇見一個老人，也可以談笑得很開心，忘了回家，忘了一切。這是一種看來好像很孤獨，實際上很滿足的生活狀態。

一個人能享受孤獨，遇見別人也能很高興的聊天。用現在的眼光來看，他是一個樂活的人，比陶淵明還樂活一點。因為陶淵明還得忍受現實生活的困窘，為自己與家人的絕糧而煩惱，王維顯然沒有這樣的問題。

凝碧池上的哀音

王維在朝為官時，人緣非常好，從皇帝、公主，到後來的叛軍首領安祿山都喜歡他。可是世間沒有永遠的完美與順遂；「安史之亂」發生的時候，他受到非常嚴重的打擊和難堪。白居易的〈長恨歌〉寫道：「漁陽鼙鼓動地來，驚破霓裳羽衣曲。」

安祿山來得太快了，驚天動地的攻陷洛陽、長安，玄宗皇帝來不及充分準備，只能倉皇帶著一些比較親信的妃子、臣子連夜逃往四川。而大部分臣子根本沒有接獲通知，不知道皇帝已經逃跑。王維與許多臣子排著班去上朝，卻赫然發現坐在龍椅上的不是皇帝，竟是安祿山。

安祿山建立了偽燕政權，以洛陽為都，至於未及逃跑的官員，

安史之亂

唐玄宗因寵愛楊貴妃，荒弛國事，將大權交給楊國忠，國勢更加腐敗虛空。

天寶十四年，身兼范陽、平盧、河東三節度使的安祿山聯合契丹、突厥等民族，組成號稱二十萬的兵力，以「憂國之危」、奉密詔討伐楊國忠為藉口，在范陽起兵。參與者

還有另一位守邊大將史思明。天寶十五年，他們占領長安、洛陽，玄宗狼狽出逃，至馬嵬坡六軍不發，只得處死楊國忠，賜令貴妃自盡。

安祿山進洛陽之後，當了兩年皇帝，被自己的兒子安慶緒謀殺。史思明得知安慶緒也想殺他，便帶兵降唐，而後又反叛，殺安慶緒自立為帝，最後因其子史朝義發動兵變而遭殺害。

這一場安祿山、史思明起兵的叛亂，使得唐朝元氣大傷，由盛轉衰，也使唐朝進入了藩鎮割據的時代。

不順從的便殺，其餘的都俘到洛陽，連兩京梨園子弟也集中到了洛陽。而不想這樣死去，也不想當叛軍偽朝之官的王維，表面順從，私下卻吃藥導致腹瀉，稱病而不上朝。後來安祿山發現這計謀，大怒，卻又不忍殺他，便將他幽禁在菩提寺。

被軟禁期間，他的好朋友裴迪常去看他，也把外面發生的事講給他聽。安祿山在西苑凝碧池大擺慶功宴，威逼梨園子弟奏曲作樂。梨園有位彈鐵琵琶的樂師雷海青，趁距離安祿山最近時，怒目痛斥，並拿起鐵琵琶朝安祿山砸過去，但失手了，被暴跳如雷的安祿山下令大卸八塊。

裴迪把這個故事講給王維聽，王維就寫了一首〈凝碧詩〉，據說後來竟然因這詩救了自己一命。詩中暗寫叛亂為百姓帶來了災難，雖然也描寫了熱鬧的慶功場面，但弦外之音則是一首懷念皇帝的詩。

不久，肅宗在靈武即位，叛亂平定後，回京興師問罪、秋後算帳。王維順降了安祿山，本將被斬首，但跟隨玄宗逃亡的王維之弟王縉，願以自己的官位贖哥哥一命，有人更將廣為流傳的〈凝碧詩〉

凝碧詩

唐・王維

萬戶傷心生野煙，
百官何日再朝天？
秋槐葉落空宮裡，
凝碧池頭奏管絃。

皇帝不在了，天下百姓悲傷難過，並且流離失所，必須在野地裡升起炊煙。而朝廷百官哪一天才能再朝見天子呢？秋天的槐葉掉落在沒有真正君主的空蕩宮廷裡，只聽到那逆賊到現在還是每天尋歡作樂，要人在凝碧池奏樂給他聽。

拿給皇帝看，說王維心中是向著天子的，王維才被免去死罪，這時他都五十六歲了。不久之後，肅宗還讓他復官，四年後再擢升為尚書右丞，一直到他六十一歲過世，後世因此稱他為王右丞。

王維在盛唐詩壇獨樹一格，描寫退隱生活、歌詠自然風景的高度成就，使山水田園詩達到了高峰，在詩歌史上占有重要的位置。而他的詩作與人格特質相合，他的藝術風華造就了他的完美形象。

清詩句句孟襄陽

華人世界的孩子，除了李白的〈靜夜思〉，最熟悉的應該就是〈春曉〉了。而這名聞古今，幾乎成為集體記憶，連外國人都在吟誦的〈春曉〉，便是唐朝詩人孟浩然的作品。

孟浩然，襄陽人，後世又稱他為孟襄陽。他是盛唐時期相當有名的大詩人，因未曾入朝為官，又被稱為孟山人。曾隱居鹿門山，是個潔身自好的人。雖曾意圖求仕以展大志，沒有成功，但不樂於趨承逢迎，便終身隱居。

孟浩然是唐代第一位大量寫作山水田園詩的人，並與小十二歲的王維共同開創「山水田園詩派」。孟浩然詩風清淡自然、不事雕飾，又韻味深長，在唐詩中自成一家。

自洛之越

唐・孟浩然

遑遑三十載，書劍兩無成。
山水尋吳越，風塵厭洛京。
扁舟泛湖海，長揖謝公卿。
且樂杯中物，誰論世上名。

就這樣庸庸碌碌的度過了三十年的學習時光，卻沒能把書讀好，也沒能把劍練成。聽說江南有著我所喜愛的山水，而在京都與洛陽的人情應酬已使我感到厭倦。駕著小船五湖四海去遊歷，那些位高權重的大官，讓我與他們辭別吧。我最享受的就是杯中的美酒，誰還在意世間的名聲。

相較於交誼甚篤的王維人生經歷豐富，孟浩然的一生都在太平歲月中。因為他身處開元盛世，在禍害唐朝的安史之亂發生前，他就去世了。終身沒有做過官，是以從未經歷官場的浮沉及汙濁，如此的他，卻能夠詩名遠揚，當代大詩人都讚佩、傾慕他。

王維曾把他的人像繪在郢州刺史亭內，李白還有〈贈孟浩然〉一詩讚揚他的高尚情操，詩聖杜甫也有「復憶襄陽孟浩然，清詩句句盡堪傳。」之句。他死後，王維大哭，悲傷逾恆，並作詩懷念；且入土不到十年，文人便已編妥他的詩集：《孟浩然集》，上呈典藏，可見多麼的重視他。

田園派的孟浩然善於發掘大自然和生活之美，然而他其實本來也想一展大志，卻懷才不遇，因此在觀賞山水漫遊期間，「寂寞」之感已籠罩於身。

四十一歲那年，孟浩然寫下〈自洛之越〉，記下了他遠離洛陽前往江南一帶的心情。自從啟蒙學習，便以進取功名為目標的詩人，至此似乎有了真正豁達的了悟。他明白自己的本性喜好自然山水，對人情的冷暖虛矯感到厭煩。四十而不惑的孟浩然，找到了最適合

宿建德江　唐・孟浩然

移舟泊煙渚，日暮客愁新。
野曠天低樹，江清月近人。

我的船停在建德江中一個煙霧瀰漫的沙洲上，天色漸暗，我孤身在外作客，又起了一些新愁。遠望寬闊昏暗的平野，天好像比樹木還要低；江水清澈，月亮倒映在江上，感覺與人好親近。

的生活方式。

而在遊歷吳越時寫的著名絕句〈宿建德江〉，更是將他的內在心境與外界景物交融的代表作品。此詩的畫面感十分強烈，我們可以看到他的船泊在煙霧繚繞的沙洲旁，日暮時，不僅有飄然一身的孤寂感，而且還有新愁——剛剛產生的客居異鄉的離愁。

接下來是對仗很美的寫景名句，也是因果句：「野曠天

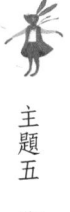

低樹，江清月近人。」平野寬闊，使得天地交界處顯得暗沉沉的；因為水面清而無波，清晰的月亮才能陪伴著我。這些景色都是人在舟中才能看見的。比樹林更低的天空，彷彿伸手就可觸及的水中明月，他意識到自己可以和自然更親近，愁緒好像也減輕了一些。

寂寞關上了柴門

孟浩然年輕時懷著用世之志。四十歲前，希望藉由「終南捷徑」入仕，四十歲後第二次參加進士考試，卻不幸落榜。相傳他好不容易因王維而有機會見到玄宗，卻因〈歲暮歸南山〉一詩「不才明主棄，多病故人疏。」中的「明主棄」這個句子，得罪了玄宗，以為他諷刺皇上埋沒人才，仕途自此成為泡影，毫無希望。相對於王維因一首詩救了一命，孟浩然一句詩就斷送了做官的機運。

總之，考試落榜後，他也感歎歲月不饒人，便決定回故鄉襄陽隱居。而回鄉之前，他寫了一首〈留別王維〉，道盡因失望而決意隱遁的心情。

他重新審視自己，如此孤寂無聊是為了什麼？到長安求官是否

留別王維

唐・孟浩然

寂寂竟何待，朝朝空自歸。
欲尋芳草去，惜與故人違。
當路誰相假，知音世所稀。
只因守寂寞，還掩故園扉。

參加科舉考試落第後，家門前孤單冷清，我究竟還在等待什麼？每天都孤單的回到寓所，又到底在這裡做什麼呢？京師已不值得留戀，我想尋求理想世界：歸隱山林，惋惜的是要和好友你分別了。朝廷中虛偽的人多，有誰是可以依靠的呢？世上真正像你一樣的知音，實在太少了。既然我不為人所賞識，就返回故鄉的田園隱居，不再過問世事，寂寞的過日子吧。

值得？每天去高官府第拜謁，都失望而歸，何苦呢？「芳草」指的是心中的隱居之處，他愁思滿懷，最後決定離開繁華的京城，隱於山林芳草間，但也因此就要與故人分別了。

「當路誰相假？知音世所稀。」二句，可看出他依舊對不得志有著怨言，認為虛偽的朝廷中，無人足以依靠，沒有懂得賞識他的人。因為壯志難酬，他要回故鄉關起門扉隱居，和寂寞相守。因此，同樣描繪山水，同樣隱居，孟浩然的「初心」不同於王維。但像王維這樣了解他的人，實在寥寥無幾，因此他要去做白雲隱士，最感掛心難捨的，只有老朋友王維了。

夫子熱愛的生活

孟浩然離開京城，半途在武昌遇見了正在遊歷的李白，兩人相談甚歡。後來孟浩然啟程回揚州，李白寫下了〈送孟浩然之廣陵〉：「故人西辭黃鶴樓，煙花三月下揚州。孤帆遠影碧山（空）盡，唯見長江天際流。」這首世人吟誦於口的名詩，道盡了詩仙對孟夫子的不捨。

其實，孟夫子歸隱了山林，重新過起他所熱愛的生活，不也是一種福分？

孟浩然的山水田園詩，最知名的是〈春曉〉：「春眠不覺曉，處處聞啼鳥，夜來風雨聲，花落知多少。」這首小詩寫出春眠初醒時的感官和情趣，真切反映了田園生活的清新。除此之外，最能

過故人莊

唐·孟浩然

故人具雞黍，邀我至田家。
綠樹村邊合，青山郭外斜。
開軒面場圃，把酒話桑麻。
待到重陽日，還來就菊花。

老友準備好簡單的家常飯菜，邀請我到他的農莊作客。綠樹環繞著村子的景象立刻映入眼簾，遠方青山由城外斜伸而過，真是恬靜優美。打開窗，面對晒穀場和菜圃，我們邊喝酒邊聊農作物生長的情形。該離開了，但等到九月九日重陽佳節，我還要來你家賞菊花。

代表孟浩然詩風的，莫過於敘寫農家簡樸生活的〈過故人莊〉了。

詩題為〈過故人莊〉，有不講排場的真摯友情，重點在田園風光及人物的互動。所以，他寫莊外景色，有世外桃源的畫面；寫莊內賓主的把酒言歡、閒話家常，充滿著生活情趣及知足的感覺。

而古人九月九日重陽節有賞菊、飲菊花酒的習俗，他最後約定會再來相

清明日宴梅道士山房

唐・孟浩然

林臥愁春盡，開軒覽物華。
忽逢青鳥使，邀入赤松家。
金灶初開火，仙桃正發花。
童顏若可駐，何惜醉流霞。

我高臥在林泉之中，憂愁春日將盡，因此趕緊開窗，欣賞美景，然後出門散步。忽然巧遇梅道士的青鳥使者，邀我到他的仙家作客。我看見他屋子裡正在煉丹的爐子，火光映照著仙桃樹上正盛開的繁花。倘若這兒真有朱顏永駐的流霞仙酒，便該好好暢飲一番，不惜大醉，喝到臉色紅潤得有如童顏啊！

敘，留下想像的餘韻，也反映出對田園純樸生活的熱愛。

其中「綠樹村邊合，青山郭外斜。」、「開軒面場圃，把酒話桑麻。」兩聯，不僅對仗優美，還有畫面與聲音、顏色與空間的交互美感，含蓄有味。這種自然恬靜、親切簡樸，正是孟詩風格，也成為令人嚮往的鄉間美好生活。

孟夫子的田園生活反映在詩作中，常有人物出現，像是他農家的朋友或是山中道友。

他在寫清明那天應邀赴道士房舍宴飲的〈清明日宴梅道士山房〉詩中，雖然開句就點出「愁」字，但愁的可是春日將盡、青春短暫呀，趕緊打開窗戶，觀賞暮春美好的景物，然後出門散步，好好把握春光。

而青鳥本是神話中西王母的使鳥，這裡用來代替梅道士派來的使者；他又以傳說中的仙人赤松子，來指梅道士。接著描寫道家煉丹的爐灶——金灶，火光暈染了室內，和桃樹上正盛放的桃花相映照著。最後搬出了傳說中的流霞酒，來強調倘若真有可以讓人青春永駐的仙酒，那麼不惜大醉一場啊！

全詩循序漸進，句句相扣，結構極為扎實；且文字不工雕飾，清淡簡樸而有味。也就是說，讀孟浩然的詩，要特別注意他講述平淡生活下的超妙情趣。我們可以從此詩讀到他對自然景物的愛好、對山居友情的珍惜，以及對韶光易逝的感歎。

最後，流霞仙酒與歸隱生活巧妙的結合，言外之意是，能夠與隱修好友在這山林之中暢飲，臉醉得像孩兒般紅通通的，其實也算回春了，深有自得之趣。

自然風華，餘音裊裊

王維和孟浩然這兩位齊名的好朋友，自然有著「山水田園」風格的共同點，但從他們的詩裡，還是可以找出一些差異。

大致上是王詩高妙，呈現享受孤獨之感，各種體裁無不精到，且皆為上乘大作；後期的山水田園

詩，更呈現出情景交融的閒適與恬靜，意趣十分高遠。孟詩則輕淡自然，語言簡純，呈現樸實的隱逸人情，更反映了田園生活的親切氣息與清新之美，往往耐人尋味。

兩位詩人深受唐代士林讚賞，樹立了芬芳品格及田園派詩風，藝術魅力對後代也產生了莫大影響，是十足的「風華永流傳」。

緊緊接在盛唐田園自然詩派之後，不可被忽略的兩位詩人，是中唐前期的劉長卿與韋應物。

許多孩子很小的時候，就能背誦「蒼蒼竹林寺，杳杳鐘聲晚。」這裡面有著圖畫一般的風景，還有著疊字念誦時的迷人腔調，這首〈送靈澈〉便是劉長卿的代表作品。

劉長卿是開元年間進士，因為個性耿介剛烈，仕宦之途並不順遂，甚至兩度因為冒犯皇帝而被貶謫。心中的理想不肯輕易放棄，現實的挫折又那樣沉重，詩人於是將雙眼轉向了自然的景物。他從山林溪谷間看見自然的規律，心中的躁動和痛苦漸漸平息。

靈澈是中唐前期有名的詩僧，本是在會稽的雲門寺出家，與劉長卿相見之後，獨自一人回到歇宿的竹林寺。劉長卿當然是紅塵中

送靈澈

唐・劉長卿

蒼蒼竹林寺，杳杳鐘聲晚。
荷笠帶斜陽，青山獨歸遠。

那一片蒼綠色的樹林後，便是竹林寺，向晚時刻，傳出陣陣鐘聲。我的朋友靈澈頭戴斗笠，像是帶領著夕陽璀璨的餘暉，朝向青山的方向，一步步的走遠了。

人，當時已經在宦途失意困頓了十年，令他煩惱的都是世俗瑣事。他或許是羨慕靈澈的；或許剛剛共度了一段樂而忘憂的時光，而此刻，靈澈離開了。這也意味著，劉長卿又是孤獨的一個人，那些紅塵紛擾之事，將再度前來糾纏。

這是一首送別詩，眼中所見的色彩，耳中聽見的聲音，都形成了朋友出塵超凡的形象與氣質，雖然僅是靈澈掛單暫住的寺廟，竟也充滿靈氣。而劉長卿長久專注的凝望著朋友離去的身影，也顯現出依依不捨的離情。

這首詩因為疊字的使用，又因為是首短小的絕句，常常成為孩子最喜歡背誦的詩。等到年紀漸長，才能明了其間的寂寞與孤獨。如果〈送靈澈〉這首詩呈現的是夏日景色，那麼，〈逢雪宿芙蓉山主人〉就把冬季寒夜的蒼茫況味描摹得非常深刻，像是一幅水墨畫了，而且還是一幅聽得見聲音的畫呢。

這幅畫的底色是一片茫茫大雪，當天色愈來愈暗，山便愈往遠方退去，天地顯得更為遼闊，行路也就更艱難了。試想：什麼樣的人會在這樣霜雪滿天的暮色裡行走呢？應當是個天涯淪落人吧。在

逢雪宿芙蓉山主人

唐・劉長卿

日暮蒼山遠，天寒白屋貧。
柴門聞犬吠，風雪夜歸人。

日落之後，暮色從四方掩來，山的距離更遠了。天寒地凍，使得這幢白色的屋子增添了貧寒之感。夜深時聽見柴門外傳來一聲聲狗吠，原來有比我更晚才來投宿的人，正穿越風雪而來。

這淪落人的眼中，今夜投宿的地方也顯得單薄淒涼了。經過了一整天的疲憊，好不容易稍稍安頓下來。正當這淪落人準備安睡在更深的夜裡，突然被狗叫聲驚動了，這才知道，原來還有人比他更奔波勞碌，直到此刻才找到安歇的地方。

這首詩原本都是靜態的描寫，到了第三句，狗的叫聲彷彿打破了雪夜的寧靜，靜中有動，以聽覺來拼湊門外發生的事，出現了很有意境的第四句，也讓詩人得到些許安慰。

人生在世不如意，多險阻，多風波，這樣的困厄卻不是詩人獨有的。在風雪之中，永遠有無法休息的人，在深深的夜裡，忍受著刻骨的寒凍，為生活而奮鬥。

滿山落葉，澗水潺潺

若是和劉長卿的刻苦自勵相比，韋應物真可說是少年得志的浪蕩子了。

他生在顯赫的官宦之家，十來歲就成為唐玄宗的近侍，陪伴皇帝遊獵、飲宴，深得恩寵。也因為這樣，養成了他仗勢欺人，不可一世的心性，在鄉里間橫行霸道，為所欲為，就算是犯了法，被人告發，官府也無可奈何。在他看來，這個世界就是他的遊樂場，由他盡情享樂，沒有拘束，也沒有阻礙。

然而，巨大的變動終究還是發生了。

安史之亂爆發，玄宗出逃，韋應物的靠山驟然崩塌。他必須面對這個世界原本的樣子，一切都不同了。瞬間，他從天堂被貶回了

人間，而且是一個戰亂的、困苦的、無所憑藉的人間。

在十九歲這一年，他回到了地面，踏實的進入太學讀書。爾後三年，玄宗去世，他嘗到了被奚落、被排斥、被欺凌的滋味。這也讓他的人生與思想發生了根本的轉折：生活原來是如此艱難的事，人的存在又是為了什麼？

他的官運始終低盪，身體健康也日益損耗，於是，他成了一個

寄全椒山中道士

唐・韋應物

今朝郡齋冷，忽念山中客。
澗底束荊薪，歸來煮白石。
欲持一瓢酒，遠慰風雨夕。
落葉滿空山，何處尋行跡？

今天我在官府的書齋中感到了一股寒意，忽然念起在山中修道的朋友。他此刻應該正彎身從澗水中拾起柴火，將這些荊棘和木柴束起來，帶回家去烹煮神仙的白石吧。我想為他送上一瓢酒，讓他在有風有雨的夜晚，得到些許溫暖。然而，這遼闊的山中滿是落葉，我又該到何處去尋找他呢？

修道人，佛教與道教安慰了他。在與其他修道人的交往中，一步步走進大自然這最佳的療癒場，尋找內心的平靜與超脫。

韋應物最欣賞的是陶淵明，真正的淡定自若，他自己的詩作與心境，也漸漸走上陶淵明的路途。他發覺人的苦惱都是因為「欲望」而起，拋棄了欲望，才能獲得自由。

四十二歲時因病辭官，住到精舍中，只有簡單的日用陶器與一床棉被，整天誦讀道家經書，與修道的朋友書信往還，或是聆聽大自然的天籟，便感到無窮的樂趣，樂不思歸，根本不想再回返俗世了。

病好之後，他到了安徽，出任滁州刺史，滁州的全椒山上有他的道士朋友，他雖身在官衙，心卻已經去到了全椒山。秋日寒涼的空氣，讓他牽掛起修道朋友清苦的生活：從澗水中取出的木柴，怎麼能生火呢？傳說中神仙煮食，延年益壽的白石，真的能讓道士填飽肚子嗎？他興起了送上溫熱的一壺酒給朋友的念頭，同時也很清楚的知道，隱身在蕭瑟山中修道的人，是不會那麼容易讓人找到的呀。

滁州西澗

唐・韋應物

獨憐幽草澗邊生，
上有黃鸝深樹鳴。
春潮帶雨晚來急，
野渡無人舟自橫。

我特別喜愛的是那些澗水旁堅強生長的小草，茂密的大樹上，傳來一聲聲黃鸝鳥悅耳的啼叫。春天的潮水總是澎湃，若是下著雨，黃昏時分更顯湍急。而在這人跡鮮至的渡口，有條無人駕駛的小船，被潮水推上岸，自在的橫陳著。

這首詩的特色，在於全是想像寫成的。

因為秋涼，於是惦記起朋友，進而想像朋友在山中詩意卻艱難的生活。這想像令他激動了，令他想要有所行動，最終卻又放棄了。韋應物也是修道人，他明白修道人最不需要的就是牽絆與執著，於是，他讓想像就只停留在想像中，還給自己和朋友真正的自由。

韋應物的另一首代表作便是七絕〈滁州西澗〉，簡直是一幅空靈的畫。人人都知道它是好詩，卻很難說明它好在哪裡。

這是一首視覺、聽覺與意境俱全的小詩：看見澗邊的小草，在水流的沖刷下依然努力的生長著，感動了詩人；看不見的黃鸝鳥依舊婉轉的唱著歌，感動了詩人；春天的潮水到了傍晚仍然充滿生命力，感動了詩人；那總是奔波的小船終於可以自在的停在岸邊，感動了詩人。置身在充滿生機的環境中，詩人是否也想像那條小船一樣，找到真正可以棲息的岸邊，得到自主的停泊？

韋應物的生命蛻變很豐富，他進入官場之後，曾在〈寄李儋元錫〉詩中寫下：「身多疾病思田里，邑有流亡愧俸錢。」對於自己並沒有把父母官的職責做到盡善盡美感到慚愧。從年少時的放蕩不羈，到成年後的自省自勉，再到中年後的回歸自然，從迷失到覺醒，他完成了一個「人」的生命道路。

人類本來就是自然的一部分，屬於自然，因此，當我們親近自然的時候，能夠獲得最多的能量與修復。可惜，太多的欲望與執著讓我們忘記了自己本來的樣子，永無止境的追求，令我們身心俱疲，煩惱無休。田園派的詩人以他們自己的經歷，讓我們看見了與自然和好，能夠得到多麼豐盛的快樂與滿足。

就像是在心中棲息著一朵舒卷的雲，可以靜止，可以飛翔。

座右銘：行到水窮處，坐看雲起時。

人都會碰上挫折，很多時候覺得已到山窮水盡、無路可走的地步了，這時千萬不要著急，也不要做出莽撞的決定。我們不妨坐下來，靜下心來，給自己一段空閒的時間，說不定會有其他的人生啟示或方向。

主題五 胸中棲著一朵雲——田園詩

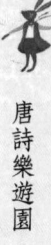

創作模式啟動

模式一、〈鳥鳴澗〉的動靜交叉

心真正寧靜的時候，才能對周遭變化有敏銳的觀察。而「動」與「靜」雖是相反的，卻能互相襯托。因為人閒、心寧、山靜，於是王維可以聽到、注意到細小桂花的飄落。

這在寫作技巧上，便是用動態來描寫靜態。例如我們常說「那一刻好安靜」，其實還可進一步形容：安靜到「連心臟跳動的聲音都聽得見」，甚至「連血液流動的聲音都聽得見」。

這是動靜交叉的誇飾手法，能讓人了解到底有多安靜。而山鳥展翅和啼鳴的聲音，在白天不足為奇，卻因夜闌山靜，聽起來覺得特別響亮，也是一樣的道理。

模式二、〈過故人莊〉的作文布局

孟浩然這首詩是現代記敘文最好的教材。

首聯相當於作文的第一段，寫為什麼去朋友家，而朋友跟他一樣也是過簡樸生活的人。頷聯描寫他受邀到了農莊所看到的景物，有遠景、近景的畫面感。而頸聯則簡潔、充分的傳達人物互動，吃飯喝酒、閒話家常，卻讓人強烈感受到賓主的情誼。到了尾聯，也就是作文的結尾，道出了對於相聚結束的不捨，與來日再聚的期盼。

全詩架構完整，前因後果清楚，「人、事、時、地、物」都帶到，並以「起、承、轉、合」的步驟，講出了這次拜訪的情形和感受。大家寫作時，不妨借鏡一番。

模式三、「蒼蒼竹林寺，杳杳鐘聲晚。」的摹色與摹聲

有聲有色的摹寫技巧，當然很有吸引力、能令人印象深刻。

劉長卿這首著名的送別詩，便用了「蒼蒼」兩個字來摹色，寫出一片青翠的山中，竹林隨風搖曳，山寺也暈染上了綠色。而「杳杳」這兩個字則是摹聲，隔著一段距離，寺中撞鐘的聲音不可能聽得太清楚，卻是悠長的、似有若無的，讓人想要安靜下來，聽得更真切些。

不僅如此，「蒼蒼」與「杳杳」也是疊字，有著聲音上的悅耳與和諧，利於記憶，怪不得許多年幼的孩子也能背誦得滾瓜爛熟了。

主題五 胸中棲著一朵雲——田園詩

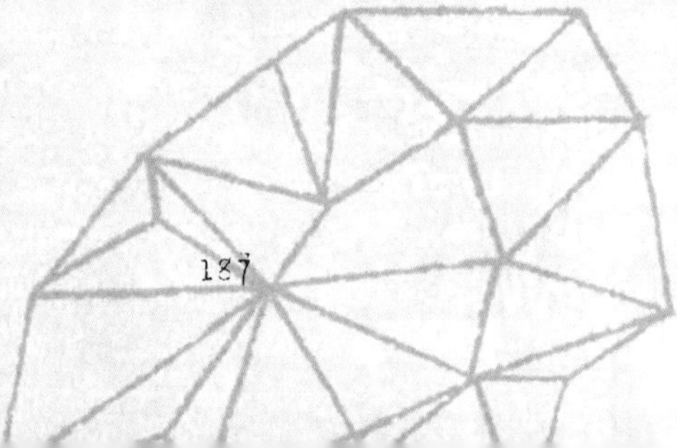

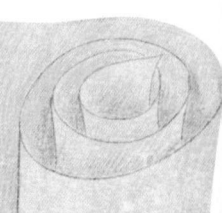

詩人點名表

項羽

（西元前二三二～前二〇二年）

名籍，字羽，秦朝末年下相人。西元前二〇七年，於鉅鹿之戰率領楚軍大破秦軍，秦朝滅亡後自封為「西楚霸王」，與「漢王」劉邦爭奪天下。西元前二〇二年，楚漢相爭在垓下之役畫下句點，十萬楚軍全軍覆沒，項羽突圍至烏江自刎身亡。有〈垓下歌〉流傳至今。

陶淵明

（西元約三六五～四二七年）

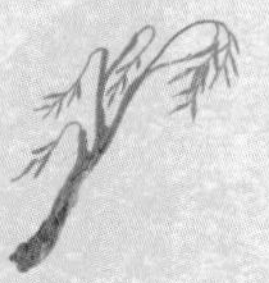

名潛，或名淵明，字元亮，自號五柳先生，世稱靖節先生，為大將軍陶侃之孫。潯陽柴桑人（今中國江西九江）。詩風清新自然，開啟田園詩體裁，為古今隱逸詩人之宗，對唐宋詩人影響極大。梁昭明太子蕭統蒐集其作品，編《陶淵明集》。

斛律金

（西元四八八～五六七年）

字阿六敦，朔州人（今中國山西朔州）。敕勒族，南北朝的三朝將軍，性格耿直，善於騎射，據說能從敵軍揚起的沙塵預知敵軍人數。曾在某次戰役挫敗後，用鮮卑語唱出民歌〈敕勒歌〉，為北齊神武帝高歡及將士們穩定軍心。

王績

（西元五八五～六四四年）

字無功，號東皐子，絳州龍門人（今中國山西河津）。詩風質樸自然，多描寫田園山水，一改前朝詩風浮靡的氣息，且為五言律詩奠基，是唐詩格律的先知者。今存《東皐子集》。

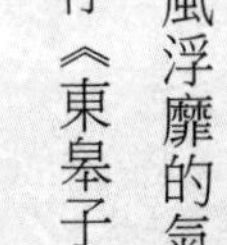

盧照鄰

（西元約六三六～六九五年）

字昇之，號幽憂子，幽州范陽人（今中國河北涿縣）。是「初唐四傑」之一，擅長詩歌、駢文，以歌行體為佳。今存《幽憂子集》、《盧昇之集》。後代子孫有聞名一時的險怪詩人盧仝。

駱賓王

（西元約六二六～？年）

字觀光，婺州義烏人（今中國浙江義烏）。是「初唐四傑」之一，詩作題材廣泛，筆力雄健，意境深遠，擅長七言歌行，五言律詩亦精煉，名作〈帝京篇〉為初唐少有的長篇詩歌。今存《駱丞集》。

李嶠
（西元六四四～七一三年）

字巨山，趙州贊皇人（今中國河北贊皇）。據說年幼時夢見有人送雙筆，從此文采精進。長於詩文，與崔融、蘇味道、杜審言合稱「文章四友」。性格剛正廉直，曾奉武則天之命復查狄仁傑謀反案，卻為其平反而違逆武后，被貶為潤州司馬。今存《李嶠集》。

杜審言
（西元約六四五～七〇八年）

字必簡，祖籍襄陽（今中國湖北襄陽）。「詩聖」杜甫的祖父，詩作多為寫景、唱和及應制之作，以渾厚見長，工於五律，對近體詩之形成與發展頗有貢獻。詩作〈和李大夫嗣真奉使存撫河東〉，為初唐近體詩中第一長篇。與李嶠、崔融、蘇味道合稱「文章四友」。今存《杜審言集》。

蘇味道
（西元六四八～七〇五年）

趙州欒城人（今中國河北欒城）。宋代「三蘇」的祖先，曾任武則天的宰相，為官處事模稜兩可，而有「蘇模稜」之稱。與李嶠、崔融、杜審言合稱「文章四友」。詩作雖多屬應制、浮豔之類，但〈正月十五夜〉一詩，卻以「火樹銀花合，星橋鐵鎖開……」等簡潔精緻的文字，生動描繪出長安城元宵夜的熱鬧盛況，成為節日詩的經典之作。今存詩作十餘首。

王勃

（西元六五〇～六七五年）

字子安，絳州龍門人（今中國山西河津）。為初唐四傑之一，詩作風格清新，多抒發個人情志，也抨擊時弊，其五言律詩有「唐人開山祖」之美譽。今存《王子安集》。

楊炯

（西元六五〇～六九三年）

華陰縣人（今中國陝西）。為初唐四傑之一，擅長五言律詩，詩風充滿戰鬥精神，氣勢豪放，尤以邊塞詩更勝。今存《盈川集》。

宋之問

（西元六五六～七一二年）

字延清，一名少連。汾州人（今中國山西汾陽），或說虢州弘農人（今中國河南靈寶）。與沈佺期齊名，時稱「沈宋」。據說曾為了奪取外甥劉希夷的〈代悲白頭翁〉詩作中的兩句「年年歲歲花相似，歲歲年年人不同。」而派人用沙包將外甥壓死。作品雖多是歌功頌德的應制詩，仍對唐詩格律演變有著極大貢獻。今存《宋之問集》。

沈佺期

（西元六五六～七一四年）

字雲卿，相州內黃人（今中國河南內黃）。與宋之問同為宮廷詩人，時稱「沈宋」。擅長五言律詩，詩作多是風格綺靡、歌舞昇平的應制詩。不過「沈宋」時期算是正式脫離唐以前的古體詩形式，對律詩的成熟與定型有著重要貢獻。

賀知章

（西元六五九～七四四年）

字季真，自號四明狂客，越州永興人（今中國浙江蕭山）。是著名的書法家，擅長草書、隸書。詩風清新淡雅，擅長絕句，尤以寫景、抒懷為甚。曾為李白的〈蜀道難〉詩作所折服，讚譽其為「天上謫仙人」；喜愛飲酒，與李白同為「飲中八仙」。後來成為道士，隱居於鏡湖。

陳子昂

（西元六六一～七〇二年）

字伯玉，梓州射洪人（今中國四川射洪）。詩風清峻剛健，語言質樸，改變六朝綺麗柔靡之風，完成唐詩革新的任務。今存《陳拾遺集》。

張九齡

（西元約六七八～七四〇年）

字子壽，一名博物，韶州曲江人（今中國廣東韶關）。人稱張曲江，是漢初三傑之一的張良的子孫。性格耿直敢言，是唐朝開元之治的賢相。之後，若有人向唐玄宗舉薦人才，玄宗就問：「其人風度得如九齡否？」可見其「曲江風度」之美譽與影響力。詩風剛健，文字質樸，託物言志，改變初唐詩風，其〈感遇〉詩在《唐詩三百首》中排名第一首。今存《曲江集》。

王之渙

（西元六八八～七四二年）

字季淩，原籍晉陽人（今中國山西太原）。擅長五言詩，以描寫邊塞風光為勝，為「邊塞詩派」的代表人物。作品常被樂工改編成歌曲，據說王之渙、王昌齡與高適曾相約到旗亭喝酒，聽見梨園伶人唱歌，三人便私下約定看誰的作品被唱的次數較多來分高下，並在牆上畫線做記號。最後，由最出色的伶人唱出了〈涼州詞〉，王之渙才略勝一籌，故有「旗亭畫壁」的典故。詩作今僅存六首，以〈登鸛雀樓〉、〈涼州詞〉為代表作。

孟浩然

（西元六八九～七四〇年）

名浩，字浩然，襄州襄陽人（今中國湖北襄陽）。又稱孟襄陽。與王維齊名，同是「田園詩派」代表人物。詩作多為絕句，題材以山水田園和隱逸為主，詩風清淡自然，不事雕飾，韻味深長，開啟盛唐山水詩之先聲。今存《孟浩然集》。

王昌齡

（西元六九〇？～七五七？年）

字少伯，京兆人（今中國陝西西安）。與高適、王之渙同為「邊塞詩派」的代表人物，有「詩家天子」的美譽。擅長七言絕句，邊塞詩氣勢雄渾憤慨；閨怨詩則哀怨淒婉，其中〈出塞〉詩被喻為唐代七絕的壓卷之作，而又被稱為「七絕聖手」。今存《王昌齡集》。

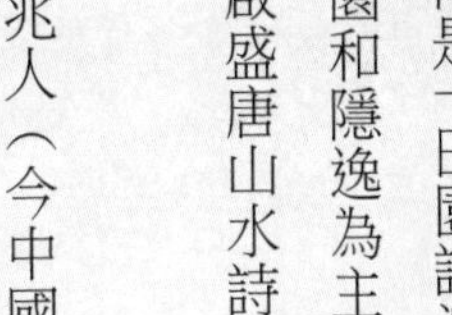

祖詠

（西元六九九～七四六？年）

洛陽人（今中國河南洛陽）。詩作以自然景物為主，風格清新接近王維、孟浩然。今存《祖詠集》。

王維

（西元約六九九～七五九年）

字摩詰，號摩詰居士，蒲州人（今中國山西永濟）。世稱王右丞，名和字均取自於《維摩詰經》中的佛門弟子維摩詰居士；且因詩中多禪理，故後世稱其爲「詩佛」。王維與孟浩然合稱「王孟」，為「田園詩派」的代表人物；他也是畫家，建立水墨山水畫派，被稱為「南宗畫之祖」，宋朝蘇軾曾讚揚：「味摩詰之詩，詩中有畫；觀摩詰之畫，畫中有詩。」此外，他亦精通佛學、音樂與書法，是個多才多藝的人。今存《王右丞集》。

李白

（西元七〇一～七六二年）

字太白，號青蓮居士，世稱「詩仙」，與杜甫齊名，時稱「李杜」。被賀知章譽為「天上謫仙人」的李白，有著謎樣的身世及多重身分：是「浪漫詩派」的代表；是行俠仗義的劍客；是虔誠求仙的道士。詩風清俊、飄然，表現出反抗傳統，追求自由的精神。今存《李太白集》。

崔顥

（西元？～七五四年）

汴州人（今中國河南開封）。其邊塞詩雄渾奔放，山水詩語言清新，〈黃鶴樓〉一詩成就其文學地位。今存《崔顥集》。

王翰

（生卒年不詳）

又作王瀚，字子羽，晉陽人（今中國山西太原）。性格豪放，喜歡喝酒，即使遭到貶謫，仍過著自在享樂的日子。詩作〈涼州詞〉最負盛名。

高適

（西元七〇二～七六五年）

字達夫，滄州渤海人（今中國河北景縣）。與岑參齊名，世稱「高岑」，同為「邊塞詩派」代表人物。早年生活困苦，曾四處遊歷，與李白、杜甫結為好友。安史亂後官至左散騎常侍，封渤海縣侯，世稱「高常侍」。曾兩次出塞，詩風豪放，筆力雄健，主要描寫邊疆戰事、士兵生活等。今存《高常侍集》。

劉長卿

（西元？～七八〇？年）

字文房，一說宣城人（今中國安徽宣州），一作河間人（今中國河北滄州）。曾任隨州刺史，世稱劉隨州。擅長五言詩，自詡為「五言長城」。詩風接近王、孟，喜描繪自然景物。今存《劉隨州集》。

錢起

（西元七一〇～七八二？年）

字仲文，吳興人（今中國浙江湖州）。「大曆十才子」之一。詩風清奇，參加科舉省試時的詩作〈湘靈鼓瑟〉，不僅讓他金榜題名，也奠定了詩壇地位。今存《錢仲文集》。

杜甫

（西元七一二～七七〇年）

字子美，自稱少陵野老，杜陵布衣，生於河南鞏縣（今中國河南鞏義），是初唐「文章四友」杜審言之孫，與晚唐詩人杜牧是遠房親戚。因曾任官職，而有「杜拾遺」、「杜工部」之稱；又因搭建草堂於少陵，亦名杜少陵、杜草堂。歷經安史之亂，詩作悲天憫人並展現唐朝由盛轉衰的歷程，被譽為「詩聖」及「詩史」，是「寫實派」代表詩人。與李白齊名，世稱「李杜」。今存《杜工部集》。

岑參

（西元七一五～七七〇年）

南陽人（今中國河南南陽）。早期詩作多為寫景述懷，詩風綺麗，後因兩次出塞，轉為描繪邊塞與戰爭景象，氣勢豪放，成為「邊塞詩派」代表人物，與高適並稱「高岑」。今存《岑嘉州詩集》。

張繼

（生卒年不詳）

字懿孫，襄州人（今中國湖北襄陽）。生平不可考，僅知為天寶年間的進士，曾任洪州鹽鐵判官。詩作爽朗，不事雕琢。今存《張祠部詩集》。

韓翃

（生卒年不詳）

字君平，南陽人（今中國河南）。「大曆十才子」之一，詩風輕巧別致，因〈寒食〉詩受到唐德宗賞識，而被提拔為中書舍人。曾與歌妓柳氏譜出戀曲，唐代詩人許堯佐將這段發生在盪動歲月中的愛情故事寫成《柳氏傳》。今存《韓君平集》。

韋應物

（西元七三七～七九二？年）

京兆人（今中國陝西長安）。世稱「韋江州」或「韋蘇州」。早年因家世顯赫，橫行鄉里，安史亂後才開始發憤讀書。是繼陶淵明、王維與孟浩然之後的田園詩名家，後人以「陶韋」或「王孟韋柳」合稱。今存《韋蘇州集》。

盧綸

（西元七四八～八〇〇？年）

字允言，河中蒲人（今中國山西永濟）。為「大曆十才子」之一。曾考上進士，卻遇上安史之亂而未能當官，亂平後再度應試屢試不進，後由宰相舉薦，才升任監察御史。貞元年間任檢校戶部郎中，又稱「盧戶部」。擅於寫景，語言精練，今存《盧允言集》。

李益

（西元七四八～八二七年）

字君虞，隴西姑臧人（今中國甘肅武威）。擅長七言絕句，以邊塞詩聞名，與族人「詩鬼」李賀齊名。因性格多疑善妒，故時人戲稱善妒者患上「李益疾」。今存《李益集》。

孟郊

（西元七五一～八一四年）

字東野，湖州武康人（今中國浙江德清）。近五十歲才考上進士，之後擔任溧陽尉，常騎著驢子到郊外作詩而荒廢公務，縣令找人頂替，並將其薪俸折半。作品以五言古詩為主，用字追求硬瘦，與賈島同以苦吟著稱，蘇軾稱其為「郊寒島瘦」；金元之際的文學家元好問則以「詩囚」稱之。今存《孟東野詩集》。

張籍

（西元七六八～八三〇年）

字文昌，烏江人（今中國安徽和縣）。因韓愈舉薦，任水部員外郎等職，時稱「張水部」或「張司業」。後患目疾，幾乎失明，有「窮瞎張太祝」之稱。詩作平易自然，對晚唐五律影響較大。與王建齊名，世稱「張王樂府」。今存《張司業集》。

王建

（西元七六八？～八三〇？年）

字仲初，穎川人（今中國河南許昌）。曾任陝州司馬，又稱「王司馬」。擅長樂府詩，反應社會現實，風格與張籍相近，世稱「張王」。其〈宮詞〉詩作百首，成為後代研究唐代宮廷生活的重要資料。今存《王司馬集》。

韓愈

（西元七六八～八二四年）

字退之，祖籍郡望昌黎郡（今中國遼寧義縣），世稱韓昌黎。與柳宗元倡導「古文運動」，合稱「韓柳」，為「唐宋八大家」之一。散文、詩均有名，其〈祭十二郎文〉與李密〈陳情表〉、諸葛亮〈出師表〉並列中國三大抒情文；詩作力求奇詭險怪，是「奇險派」之祖。今存《昌黎先生集》。

劉禹錫

（西元七七二？～八四二？年）

字夢得，自稱中山人（今中國河北定州）。曾為太子賓客，又稱「劉賓客」，是文學家、哲學家和政治家。詩作清新質樸，善用典故。與白居易合稱「劉白」；白居易稱其為「詩豪」。今存《劉夢得文集》。

白居易

（西元七七二～八四六年）

字樂天，晚號香山居士、醉吟先生，下邽人（今中國陝西渭南）。詩作用字淺白通俗，是「寫實派」詩人代表。與元稹曾同朝為官，並推行「新樂府運動」，二人詩作齊名，號「元和體」，世稱「元白」。晚年則與劉禹錫唱和甚多，有「劉白」之稱。作品在唐代詩人中流傳最廣。著有《白氏長慶集》。

柳宗元

（西元七七三～八一九年）

字子厚，河東人（今中國山西永濟）。世稱「柳河東」，又任柳州刺史，故稱「柳柳州」。與韓愈同為「古文運動」領導者，並稱「韓柳」，亦屬「唐宋八大家」。與韋應物合稱「韋柳」，是繼王維、孟浩然之後，著名的田園詩人。今存《柳河東集》。

元稹

（西元七七九～八三一年）

字微之，洛陽人（今中國河南洛陽）。詩作頗受宮中嬪妃喜愛，而有「元才子」之稱。曾與白居易同朝為官，並推行「新樂府運動」，二人詩作齊名，號「元和體」，世稱「元白」，為「寫實派」詩人代表。今存《元氏長慶集》，與傳奇小說《鶯鶯傳》。

賈島

（西元七八八～八四三年）

字閬仙，號無本，幽州范陽人（今中國河北涿州）。又稱「賈長江」。早年屢試不第，遂出家為僧，詩作深得韓愈賞識，後還俗。擅長五言律詩，是「苦吟詩人」的代表，詩風和孟郊相近，蘇軾稱其「郊寒島瘦」；元好問將二人並稱為「詩囚」。今存《賈長江集》。

朱慶餘

（西元七九七～？年）

名可久，字慶餘，越州人（今中國浙江紹興）。詩作以生活及景物為主，詩風清新，文字細緻，今存《朱慶餘詩集》。

杜牧

（西元八〇三～八五二年）

字牧之，號樊川，京兆萬年人（今中國陝西長安）。擅長詩文及書法，詩作以五言古詩及七律為勝；書法〈張好好詩〉是唯一流傳於世的真跡。時人稱其為「小杜」，以別於杜甫；又與李商隱齊名，並稱「小李杜」。今存《樊川集》。

李商隱

（西元八一三～八五八年）

字義山，號玉谿生，懷州河內人（今中國河南沁陽）。因捲入牛李黨爭而失意潦倒，詩作多抒發懷才不遇及社會現實。詩風含蓄、詞藻華美，以七言律詩成就最高，和杜牧合稱「小李杜」；與溫庭筠合稱「溫李」；詩風與溫庭筠、段成式風格相近，且三人在家族中皆排行第十六，故並稱「三十六體」。今存《李義山詩集》。

高駢

（西元八二一～八八七年）

字千里，原籍渤海，後遷居幽州（今中國北京），是唐朝名將之後。擔任御史時曾「一箭貫雙雕」，故有「落雕御史」之稱。黃巢之亂期間，雖派驍將成功阻擊，但與宦官有怨，遂不服朝廷徵調，並擁兵自重、割據一方，後為部將所殺。

羅隱

（西元八三三～九〇九年）

本名橫，參加科舉十次未果，改名羅隱，字昭諫，餘杭人（今中國浙江餘杭）。自號江東生。為人狂妄，繼承屈原、杜甫與白居易的憂國憂民精神，詩作反映社會現實，擅長詠史詩。今存《讒書》、《羅昭諫集》。

皮日休

（西元八三四～八八三年）

字襲美，又字逸少，襄陽人（今中國湖北襄陽）。隱居鹿門山，自號鹿門子、閒氣布衣、醉吟先生。個性孤傲、詼諧好謔，魯迅稱其「正是一塌糊塗的泥塘裡的光彩和鋒芒」。與詩人陸龜蒙是好友，詩作齊名，世稱「皮陸」。今存《皮子文藪》，及與陸龜蒙唱和的《松陵集》。

陸龜蒙

（西元？～八八一年）

字魯望，蘇州吳縣人（今中國江蘇蘇州）。自號江湖散人、甫里先生，又號天隨子。其《耒耜經》一書，是中國唯一的古農具專書；又喜歡喝茶，曾撰寫《茶經》，但已失傳。與皮日休齊名，世稱「皮陸」。今存《甫里集》，及與皮日休唱和的《松陵集》。

胡曾

（西元八四〇～？年）

邵陽人（今中國湖南邵陽）。詩作以詠史詩為主，評詠歷史人物與事件，藉以託古諷今。今存《詠史詩》。

韋莊

（西元八三六？～九一〇？年）

字端己，長安杜陵人（今中國陝西西安）。詩作〈秦婦吟〉與漢代的〈孔雀東南飛〉及北朝的〈木蘭詩〉合稱「樂府三絕」；擅長寫詞，與溫庭筠同為「花間詞派」重要詞人，並稱「溫韋」。今存詩作《浣花集》，詞作則散見於《花間集》和《尊前集》等總集。

黃巢

（西元？～八八四年）

曹州冤句人（今中國山東菏澤）。鹽商出身，能文能武，科舉落榜後，因朝廷苛政，遂參與農民起義。一度攻占長安稱帝，建大齊國，後因內部分裂，屢戰屢敗後自殺身亡，史稱「黃巢之亂」。留有詩作三首，以菊花為題材，展現全新風格。

金昌緒

（生卒年不詳）

臨安人（今中國浙江杭州）。生平事蹟不詳，僅有一首〈春怨〉詩傳世。

陳陶

（西元八一二？～八八五？年）

字嵩伯，號三教布衣，劍浦人（今中國福建南平）。詩作雖多屬憂時、感歎之類，但仍散發知識分子的批判氣節。今存《陳嵩伯詩集》。

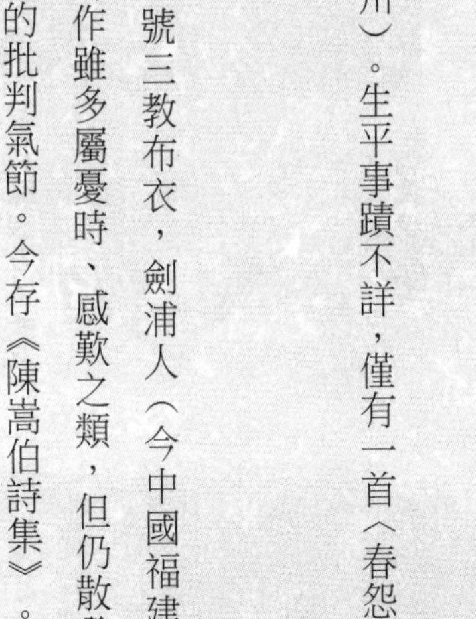

曹松

（西元八三〇～九〇三年）

字夢徵，舒州人（今中國安徽潛山），擅五言律詩，雖以「苦吟詩人」賈島為師，詩風卻不幽澀。七十一歲才中進士，與王希羽、劉象、柯崇、鄭希顏合稱「五老榜」。今存《曹夢徵詩集》。

蘇軾

（西元一〇三六～一一〇一年）

字子瞻，號東坡居士，宋代眉州眉山人（今中國四川眉山）。仕途雖不得志，卻是中國文學藝術史上罕見的全才。擅長詩、詞、賦、散文、書法和繪畫。與父蘇洵、弟蘇轍合稱「三蘇」，同為「唐宋古文八大家」；散文與歐陽修並稱「歐蘇」；詩與黃庭堅並稱「蘇黃」；與陸遊並稱「蘇陸」；詞與辛棄疾並稱「蘇辛」；書法名列北宋四大家；畫作則開創「湖州畫派」。文章雄渾暢達；詩作清新雋逸；並引領詞風，由婉約進入豪放，影響後代深遠。今存《東坡集》、《東坡詞》。

李綱

（西元一〇八三～一一四〇年）

字伯紀，宋代邵武人（今中國福建邵武）。北宋靖康元年曾擊退金兵，宋室南渡後，曾任南宋宰相，雖勵精圖治，但遭主和派排擠，僅七十五天便遭罷相。詩作充滿愛國思想。今存《梁溪集》。

李清照

（西元一〇八四～一一五五？年）

字易安，號漱玉，自號易安居士，宋代齊州章丘人（今中國山東濟南）。中國最有名的女詞人，父親李格非為文學家，夫趙明誠為金石考據家。早期作品以傷春怨別為主，靖康之變避亂江南後，充滿物是人非的傷情。詞風獨樹一格，有「易安體」之譽，與李白、李煜並稱「詞家三李」。除了詞作，亦有少許詩作留存。

今存《李清照集校注》。

杜耒

（西元？～一二二五？年）

字子野，號小山，宋代盱江人（今中國江西臨川）。詩風質樸，〈寒夜〉為其代表作。

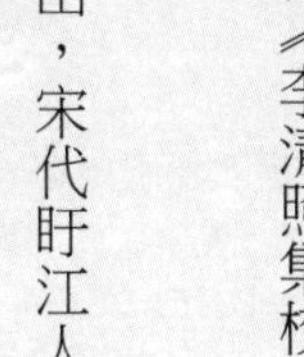

楊萬里

（西元一一二七～一二〇六年）

字廷秀，號誠齋，宋代吉州吉水人（今中國江西）。前期詩作模仿江西詩派，追求形式，後來焚盡千首詩篇，改以萬物為師。詩風自然清新，時稱「誠齋體」。與尤袤、范成大、陸遊齊名，稱南宋四大家。今存《誠齋集》等。

僧志南

（生卒年不詳）

宋代詩僧，法號志南。生平不可考。〈絕句〉一詩讓其留名千古。

包彬

（西元一六九二～一七四九年）

字文在，號樸莊，又號惕齋，清代江陰人（今中國江蘇無錫）。詩作多為山水詩，有紀遊性質。今存《樸莊詩稾》。

趙翼

（西元一七二七～一八一四年）

字耘崧，號甌北，晚號三半老人，清代江蘇陽湖人（今中國江蘇常州）。為史學家、文學家，擅長五言古詩，和袁枚、蔣士銓並稱「江右三大家」，又與袁枚、張問陶並稱「清代性靈派三大家」。今存《二十二史劄記》等。

龔自珍

（西元一七九二～一八四一年）

字璱人，號定盦，清代浙江仁和人（今中國浙江杭州）。為清朝文字學家段玉裁的外孫，是思想家和文學家。詩作思想先進，批判社會現實。今存《定盦全集》。

國家圖書館出版品預行編目資料

唐詩樂遊園（上）/ 張曼娟、黃羿瓅著 ；
王書曼繪圖 -- 第一版 -- 臺北市：遠見天下文化, 2013.10
冊； 公分. --（張曼娟逍遙遊）

ISBN 978-986-320-323-0（平裝）

831.4 102022059

唐詩樂遊園（上）

作　者	張曼娟、黃羿瓅
企　劃	高培耘
創作協力	李胤霆
繪　圖	王書曼
總編輯	吳佩穎
責任編輯	吳毓珍
封面設計	張議文
美術設計	王書曼

出版者	遠見天下文化出版股份有限公司
創辦人	高希均、王力行
遠見・天下文化 事業群榮譽董事長	高希均
遠見・天下文化 事業群董事長	王力行
天下文化社長	王力行
天下文化總經理	鄧瑋羚
國際事務開發部兼版權中心總監	潘欣
法律顧問	理律法律事務所陳長文律師
著作權顧問	魏啟翔律師
社　址	台北市104松江路93巷1號2樓
讀者服務專線	（02）2662-0012
傳　真	（02）2662-0007；（02）2662-0009
電子信箱	cwpc@cwgv.com.tw
直接郵撥帳號	1326703-6號　遠見天下文化出版股份有限公司

製版廠	中原造像股份有限公司
印刷廠	中原造像股份有限公司
裝訂廠	中原造像股份有限公司
登記證	局版台業字第2517號
總經銷	大和書報圖書股份有限公司　電話（02）8990-2588
出版日期	2018年 3 月22日第一版第1次印行 2024年 5 月15日第二版第4次印行 定價／380元

4713510945148
書號：BLC077A

天下文化官網 bookzone.cwgv.com.tw

天下文化
BELIEVE IN READING